洪仁玉著

文學叢刊

幽蘭文集

文史哲出版社印行

幽蘭文集 目錄

輯二：懷思故人

輯三：小說

題話（自序）

幽蘭

將四十多年來生活中所曾經寫過的一些零碎東西彙集起來的念頭，突然在我心中滋長。雖然它們很膚淺，對人類，對社會起不了激盪的迴響，然而對我來說，它們或許會為我今後的人生燃起一點光亮的火光，或一分振作的熱量。因為它們皆很坦誠的表達了我生命過程中每一個階段的思想，情感以及那些嚮往與追求。它們曾經無怨地陪著我默默成長，支持我以恆久地堅持著信念，更讓我的感情寄托其間。

從年青到年老，總有很多教我激動及難忘的人物與事跡存在過，發生過。讓我以文字為他們留下痕跡，也順便借此為我的人生存下一褶回憶。

如今，它們非但聚成了我的盼望，更凝積成我的慾望了。

為這本冊子寫序的人，正是每一位翻開它又為它琢磨了時光的讀者，您們閱後的一點感想，就是我最竭誠獲得的一篇好「序」，不論是褒揚或貶謫，都珍貴得無價，因為出自內心的真誠，永遠呈現著最完美的正面思維。

輯一：居家述懷

伴書如伴君

乳白的晨曦，嫋嫋地透過落地玻璃門窗，它們凝聚在依牆豎立著的二排書架上。它們井然有序地緊緊挨靠著，在陽光閃出絢爛的光芒中，炫目地勾劃出沿著書架而起伏的條條書岸；驚鴻一瞥之下，彷如一小片懸崖椽林，氣魄壯觀。

清晨，我每自睡眠中揭開惺忪的眼眶，即能接觸到沾滿陽光的明毫書卷：色調異別的書皮，精美雅致的書面包裝，使書卷鮮明艷麗、或如青春少女，清純雅淑。又或似活潑的青少年，散發著蓬勃的氣息。而線裝的古書，硬皮面的西方書籍，雖間有巋然獨存的超脫傾向，然而使書架的項目領域更浩瀚。此時此際的我，精神抖擻，如君即在眼前。

記得，就在遷徙新居時，我執意把原應裝置在書房中的二排書架，改移置在臥房中。六平方米面積的空間，雖因此而顯得擁擠，然由房中瀰漫的裊裊書氣，使我如入芝蘭之室，反而開拓出心中的一片甸園。晨昏閒暇，參閱書卷，與書交談，心境如翱翔在萬里的書叢間，悠然而自得，有如君此時正伴在身旁。

書架乃以一寸厚三寸直徑的圓鐵管拼接而成，再以色素電鍍成純墨色。每一間隔則以半寸的厚玻璃片作底托，架背靠接在高嵩的粉橙色牆壁上，分左右兩排伸展，使得書架基層穩實而堅牢。每況我佇立在書架前，仰首或俯視架上密密的書卷，便彷如置身在君壯碩的臂彎中，任我作天長地久的長廝守。

書架上書卷琳瑯滿目。每一冊都有我無盡的思念。它們的來歷與蹤影；都記載了我滿滿的一頁心扉：有來自遙遠的異地，有鄉愁中的故國，是響往中遠赴了的天涯，甚至是涉足過的千山海角。是精細的挑選，是驚喜中的發掘，有深情厚誼的贈送，有義重恩山的割愛……卷卷書籍有不能完了的一段情，有牽扯不斷的人情世事。它們不忍付之東流，且衛守在嚴謹的重重書架上，守住每一寸閃過的陽光，如守住每一滴君濃濃的心血。

書架上羅集的款類廣泛：有世界名人傳，偉人生平，醫學拳術烹調，宗教科學畫畫，天文地理歷史，文藝經濟資訊，兵法賭術卦理……每一卷皆是一把精邃的鑰匙，能開啓智慧的生命旅航，可縱橫走遍人間天南地北。奈何走不出重重的離恨天！

曾經陪君購書：踽踽相隨地穿越過窮街僻巷，窺探過名坊書齋。當覓得好書的時候，君必神采飛揚。我曾揶揄君說：「書中如有黃金屋？」。君回應我說：「屋中更有蕙蘭心。」夫妻情義昇化為書卷中陣陣芬芳，幽幽然心相連，靈犀相通。

君愛書，懂書，更珍惜書。閱讀時必是恭坐挺肩，專心貫注。每一坐讀長達幾個時辰。君曾諄諄對我說：「閱讀時，應專一不二。此乃心中對作者的尊重與愛戴。看書如同與著作者作心靈與智慧的溝通，必須以真誠的胸懷，心虛領受：如此書中無限的學問，無盡的智慧方能汲取無遺。在閱讀的過程中，若須中斷或作片刻休息時，君必以書籤作記號，避捨打皺書頁，全心以赴地保持書卷的簇新完美無缺。

於淡淡的浮生餘年中，乃能籍書卷與君長相伴。書架上卷卷書籍，更恰似君栩栩如生地為我解惑疏導。雖走入黃昏斜道，仍有溫暖及美麗的夕陽光輝閃照。

寫於公元二〇〇二年三月

墨拉蘭天橋

——Baclaran Overpass

三月初旬一個金色的黃昏；夕陽勞碌地忙著彩抹遼闊的蒼穹。我驅車馳過杜威大道(Roxas Blvd)與墨拉蘭天主教堂(Baclaran Church)交叉界那一截路程，車子竟不同於往常地，一路不歇又不滯地溜躂過去，即使當竄入了最繁忙的焦點區，亦是一路暢通無阻地直駛入巴西市(Pasay City)的心臟中心……

正陷入夢幻般飄然的快意中，乍然被一陣錯愕所驚訝，團團的疑惑纏結糾葛在了無頭緒的腦界中，於是瞪起雙眸往車前反射鏡中審核一番所走的來路，驀然瞥見一道懸空而掛的白色天橋，跨過藍天，沐浴在夕陽眩目的斜輝中，扮演起西岸的黃金橋樑，它正驕聳地向長空展示它堅硬的背脊，負載著染滿一身彩虹的人影，晃動於騰空展掛的畫布上。迎著海風，卻不動搖！

那一剎那，我心中掀起的激情，幾欲即刻搖下車窗，回頭向它高呼：「馬武海Mabuhay!墨拉蘭天橋呀！我敬愛的天橋啊！妳終於出現了！」

這道遲來的天橋，終於在人們的千等萬盼中來到，雖然它乃是浮載於怨聲的浪潮中，方在廿一世紀中跚跚來遲，但它畢竟還是身負重託地光臨了。它：墨拉蘭天橋，在人們幾近二十年漫長的期待中，呼喚著：卻在大家措手不及的一剎那，豁達威凜地落定。

祇是此刻，人們又必須再重新去學習並適應那份失去了「擠塞之苦」後的悠閒感受！雖然它曾經耗盡了人們多少在夕陽裡鍍了黃金的寶貴時光！

記得總愛沿著石灰海岸的杜威大道逛，遠遠地遙望豎立在藍天白雲下的「墨拉蘭碑誌」作遐思：那是一幅「遙遠的終點，美麗的目的地」的無框畫案。當乘坐在雙層兜風的遊覽車上，打轉過它朝空矗立的座墊，仰天點算風中層層閃光的鋁片躍舞。這時的心境遼闊如天空，而世情如天邊點點渺小的繁星，在人間燈火的光芒中消失。

披帶著沉重的塵煙，如今走過這座被砍落於道旁的碑誌遺骸。遺跡散落在滾滾風塵中。念它曾尋求巍然屹立於侖禮沓公園的黎剎紀念碑，作延長其歷史管道上的榮耀。然而，人們已唾棄痲木的史跡，人們追求的已是迅速飛快的新時代影像。

墨拉蘭天橋接管了時運的作業，瀟灑地揮別了歷史裡的記憶：它將敘寫另一節菲律濱古老的天主教堂——墨拉蘭天主教堂傳說中的另一節新的故事。

寫於公元二〇〇一年三月

街景呢喃

為響應綠化城市的號召，一盆盆綠蔥蔥的盆栽，便佔據了既狹窄，地面又凸凹不平的行人道旁：放肆地搔首招搖，景象確實綠化了不少。祇是苦煞了行人道上熙來攘往的行人，有如走入叢林小徑，側身閃縮，寸步艱難。

也許，因恐怕綠化的濃度不夠?便以創新的想像力，在難得寬敞的大街中央，築起一座如長城般壯觀的大花圃！這一下真的把整條街綠化得花木蔥翠了！只是不知該喜還是該遺憾：因它正把同一條街上的毗鄰，劈成了咫尺天涯的對戶！晨昏裡大家便再也不能像往昔那樣臨街對著面，搖手打招呼囉！

記憶裡的印象，每當改朝換代，新官一上任，盆栽花圃便首當其衝地面臨改革，不只枯枝落葉不能倖免，甚至花圃亦遭殃；高的改成矮的，混凝土改作水泥灰，寬的換窄的，造造拆拆，改了又造，造了又再改，一陣折騰翻弄後，果然有了雕塑的花盆，艷麗的花草，她們因得到時運的眷顧，一時得以盡情綻開怒放，既得紅黃色調的點綴，又兼有青綠的陪襯，整個城市不但爆出綠油油的味道，還進而美化了城市的容貌。若非聞得囂吵的街聲，還會疑是走上了碧瑤山城的花市呢！

可是，美好的光景總不得持久！過得了一個雨季，跨不過兩個暑期。熱日炎陽的曝曬，間斷的缺水澆灌，奈何不得的違法路人的攀蹬踐踏，再加上不時有失控的車輛，屢屢作出免賠賞的碰撞。盆圍遍體毀傷，盆裡枝幹潦倒敗落，再有能耐的城市建置，也只有落得如此的辛酸景況。

這一齣老在市街間上演的短劇，為它興歎與怨惜的心情，竟也受累得痲木了！對著一片蕭條的市景，心中竟激不起為樹哀思、為花落淚的閒情。

迴避似地來到另一個城市，看見一排不阻視野的街中花圃，遁沿著街心蜿蜒伸長。只是它低低的竹籬所圍繞的，偏是雜生的野草與涸裂的土壤。曾經用心栽植的名花異樹；反而被冷落得凋零衰頹。滿眼的淒清，教人無限困惑！

正為它的荒蕪而唏噓怨惜著，突見舊故事新人物的城市經典，也在這小區域中仿效重蹈！歪東倒西的竹籬終於被拆除了，改以油漆木板作小圍牆。老樹幹剷拔得一乾二淨，光禿禿的一片泥沙，混雜了殘餘的小草根，在苟延中求存。

隔日，見運來了一大卡車精選的綠樹花木，一度被遺忘的花圃，重新得到修整及愛護。圃中花草煥然一新，枝葉茂盛欣欣向榮。

幾度蕉風椰雨，幾番人事更替，油漆的木欄必又趨于腐爛癱瘓，野草又繁植蔓延趴到街心……在期待著那另一班人馬的更替時，倒是見到乾枯的枝幹，堅持地挺直在風中：與沙塵矇蓋的電燈桿爭雄。雖然等到的仍然會是一番人事全非的局面！

寫於公元二〇〇一年六月

卡啦ＯＫ千秋

——為紀念逝世五週年的外子(平凡)，曾陪伴我於卡啦ＯＫ歌廳而留下美好的回憶而寫——

回憶好比是一碟饞人的零食，在偶爾的時候，總會忘情地回頭去沾嘗一下……。

※　※　※

而諸多色味迥異，馥香可口的零食檔中，我總會情不自禁地去揀挑那盤泡卡啦ＯK的往事來品嘗，在慢慢的斟酌，細細的咀嚼中，品味那拌攪在陳年往事裡，既芬芳又甘酥的串串回憶，啜嗑那一件件回味無窮的歷歷往事。

如今，儘管時間肆意地把很多日子揮霍掉，而人世的動盪又總是輕妄地把世態陷於玄虛，在回憶的旋律中，我依然能把生命裡任何的一隻鈍鏽的音鍵，噹！噹！地彈響！顯然的；當每一下瘖啞的音韻掠過我心深處，每一節音符的迴響，已悄然地譜寫出一首令我懷念的樂章。

在那繁華已褪，燈酒淡薄了的馬米尼街(MABINI ST.)，就在那一截失色了的街尾。

黃昏一蹓躂過，昏沉沉的馬路邊，一幅鑲箝著霓虹燈的招牌，即閃爍起點點柔和的光芒。它撐住周遭靜寂冷清的夜幕，只為撐亮一個熟悉的名字：「金嗓子歌廳」。正如為懷念一顆往昔璀璨的巨星的殞落，而為它重新拾回往日的年代。

四十年代上海市晶亮的夜景，在台上麥克風後展示它不衰退的繁華。萬家燈火伴夜空繁星，重振起不夜眠的上海，那萬千誘人的不朽魅力，而沉澱在時空中的，是歌廳中桌台邊專注的客人；為重溫已消逝的青春少年時，追蹤記憶裡編織過的金曲春夢……「花樣年華」、「月圓花好」、「星心相印」、「馬路小天使」；清晰悅耳的歌聲，悠揚的旋律，浮蕩在多感的心湖裡，勾起了層層疊疊吹不散的過往雲煙。

金嗓子歌廳身襲歷史的彩衣，飛翔在時代潮流的雲層間。為黃昏裏無限美好的夕陽，延長餘暉的光照。

光臨金嗓子歌廳的客人，皆為「歌」與「唱」而來，為滿足朵頤之快的顧客反而不多，由因總見客人於晚膳過後的時辰，方翩翩來臨，或三三兩兩，或雙雙對對夫婦檔，於佈置幽雅的歌廳中選定桌座，隨即拈取點歌卡片，填上自己的芳名與點選的歌曲。當把卡片遞交予待者轉送至播音室後，有如了卻一樁心事似地，既輕鬆又愜意，但卻又不免帶點緊張地等待著那輪到自己臨場上陣的一刻。

麥克風在盤旋的電子彩光中閃光，台上歌者全心投入地唱著，台下聽眾如痴似醉地聆聽，台上台下的人，彼此間彷彿有一份默契連繫著，是以很難見到廳中發生嚣鬧的情況，或豪飲猜拳的場面！不過，所幸凡登台的歌唱者，幾乎都賦有不凡的音樂造詣及歌唱天份，不僅音節拍節準確且歌聲渾厚嘹亮。可見客人的音樂素質頗高。久而久之，方知曉好多位馳名歌壇的音樂家與業餘歌唱者，竟是歌廳裡的固定座上貴賓！或謂常客吧！「她」或「他」或為興趣，或為知音而來，慨然樂意地在這裡獻唱，為歌廳平添不俗的藝術音樂氣氛。更因而招徠慕名而來的音樂愛好者。凡欲欣賞好歌，以及欲學習唱好歌的紳士淑女們，便紛紛絡繹不絕地光臨此歌廳了！

當然了！總也會有一兩位走調失腔的歌唱者上台獻「醜」，不過他們的勇氣絕對是可嘉的。試想：站在會場聚焦的麥克風前，又是燈光掃射的交差點，在眾目睽睽的視線中，獨當一面地跟音響裡播送出的旋律及螢幕上的歌詞追接棒！其難度性，非是一般泛泛者可承受得了的！

也許會有人曾作過這麼一個妄想：不妨以卡啦ＯＫ歌廳作培訓自我歌唱潛能的發祥地。那裡既有現成一流的音響設備，又有不用費心勞力邀請來的自費聽眾捧場。來日把歌唱上歌壇，那歸自我天才兼努力的收獲。一旦唱糟了，反正不致留名青史，何況卡啦ＯＫ歌廳的生命，總是寫不出它悠久的歷史。

記得初試啼聲時：由於承受到過度的驚險，至今猶牢記在心頭。那是一個月明星亮的好夜晚，帶著一份好心情上「金嗓子歌廳」。選定了視線音響皆佳的座台。邊呷著茗茶，邊欣賞著台上一位接一位輪流著引吭高歌的「獻唱者」。沉浸在美妙的歌聲中，而心海深處是掀起萬般的羨嘆。

就在音樂嘎然而止的片息，播音機中突然放出我的名字：「XXX唱XXX！」那一驚非同小可！抱著驚魂未定的一顆心，被挾持著上台亮相，站在麥克風前的那一刻；如身臨萬丈高樓不勝寒，一陣陣抖擻直侵入骨髓。眼前只覺一片白茫茫……。

經歷了幾番驚嚇風險，竟亦狂妄地把卡啦OK歌廳當作列國週遊起來了。於使：大庭歌廳，旺旺歌廳，金園歌廳，冬冬歌廳，金大班歌廳……不勝枚舉的卡啦OK場所，雖排不出固定的日期駕臨「獻唱」，倒一直保持環遊式的探索。

然而：世間一切都必走入歷史的垂幕，時間不僅推遠我們所留戀的，也送走我們所留下的美好甜蜜的回憶。是事、是物，也只有任憑命運的操縱，機緣的湊遇。

寫於二〇〇一年八月

感　恩

一切的成就，皆來自心之深處的「感恩」；是上帝的恩典，它大能地啓發人類心中至大的愛。

於「平凡文集」發行會中，我心中充滿感恩。當看到舊友新知們，用了寶貴又美好的時光來到會場，以真誠的心意，懇摯地為平凡的文集完成發行儀式，我內心澎湃的已不再是哀傷的淚水，而是感恩的喜樂。我懇切地向上帝祈求：願這份喜樂得到上帝的祝福，而與大家共同分享。

僅賴心靈的連繫，跨越漫長的五年時空，這份情誼，昇華了文藝心路的結緣。當文字、詩句、篇章，搭成一道道心靈的橋樑、傳遞來殷殷的懷念，我要為上帝仁慈的心懷，賜予我們這份溫馨的人情而謝恩。

我們都能清楚的意識到，人類生存在地球上是短暫的，終有一天，我們與我們所摯愛的人，都必消失在世間，而唯有創作的潛力，才能超越時空，創造出永恆不朽。是以：當平凡的肉體消失在世上，我為上帝憐憫地賜予平凡以寫作的潛能而感恩。當一個卑微脆弱的生命於廣闊無際的大宇宙中，沒有界限的光年裡，藉著形體的文集，成就了生命的永恆不朽。這份榮耀，是唯獨萬能的上帝，才能成就的大能。

生命中蒙受過豐富的恩典，亦承受過層層的苦難。雖然我們永遠無法以智慧去解開或探索上帝的旨意，然卻能自感恩中，心懷謙卑，滿心喜悅，須知：成事的是耶和華，收回的也是耶和華。

寫於公元二〇〇一年九月三十日

我們年青時

——為「文藝加油站」欄一週年而寫——

一段曾經彼此擁有過的「共有」回憶，使我們再相約相聚來到文藝加油站上。當我們興奮地攜手，輕快地踏上列車的起點，在我們的手心中，確是牢牢地拎著一份珍貴的回憶。

是的：「作家」，「文壇斗泰」，「享譽作家」都曾經是我們年青時一路追蹤的幻想，而當我們思想的倉庫裡，裝滿了「豪放」與「自由」，我們便有足夠的資源馳奔在理想的原野上，跑遍抱負的理念山峰。

如今：在我們的列車上，沿途的風光已不再有青春的幻想，在暮色中的軌道上，只能瞥見飛揚在我們肩膀上僕僕的風沙。但，那可是我們紮紮實實的旅囊！在不知疲憊的旅途中，更有我們隨帶著起程的：心中濃厚的感懷。

「過去」容納了好多好多的回憶，像一幅淡淡的寫生水彩畫。在我們記憶的瞳眸中，它永遠清新而逼真，沒有虛假的結構，只有赤誠的筆觸，鮮明的色調，它忠實而恆久地在時間的框架上，懸掛著過往的風貌……

四十年前，我們是一群身著校服，活潑開朗，充滿理想的中學生，響往文藝寫作多姿多采的浪潮。在文史課上，悠悠吟著李白的床前明月光……。佇立在操場欄杆邊，感傷地誦起杜甫的國破山河在……。在抬頭望明月與探視滿城深春的落寞中，為感慨身處之無奈的時代而惆悵。雖然，我們亦曾為徐志摩空中的那一片彩雲而瘋狂，而癡想，然而，國破的哀傷、離家的鄉愁，依然沾濕我們年輕又青澀的眼眶。

每一個深夜，總會望著黝黑的天空，偷偷地呼喊：「祖國啊，祖國啊，為什麼我們找不到您？」我們萎縮在千島的海岸邊，看著漸漸西沉的落日黃昏，遙念起大宅院裡斜陽的餘照，傍晚的炊煙。

我們摸索著明天的指南，躊躇在中國的千年古俗與西方文化的漩流中。滾滾的熱血多麼想擺脫俗舊的觀念，可是又沒有萬丈的勇氣穿起新潮的禮袍，唉……。

就在恍惚不定的年代裡，我們：我，秋笛，晨夢子與紫雲相識，相惜且相持。

曾有這麼一幕難以磨滅的「記憶」長存在我的腦海中：于六十年代中一個周末的下午，我與一群辛墾社文友上秋笛家拜訪。在清雅舒閒的客廳，聽她為我們彈奏鋼琴。那位坐在鋼琴邊嬌巧女孩的倩影，融合著琴韻的悠美旋律，併出的一幅優美的圖案：當匯入文藝理想的思域，心靈中完美的感受，剎時把我帶往至高至美的境界。精神與心靈的無間契合，在那一瞬的片刻，令人忘我而陶醉。這份心境，至今依然教我無限珍惜地懷念著。

認識晨夢子，以至擁有這份忘年之交，乃得自彼此對文藝的熱愛激情。爽直豪邁的她，在我的心目中有「天之驕子」的形象，不受俗世的束縛，開朗而自由，在人生的路上她永遠走著心中想走的路：而不受任何的左右。這股羨人的魄力，確實是我望塵莫及的風格。

「文藝加油站」由她帶領開路、拓荒似的招軍買馬集中調遣，對文藝的執著熱愛，猶然有當年的豪情，教我不敢有絲毫的怠慢。

紫雲：好熟悉的筆名！它使我聯想起蔚藍的天際中，一片不帶爭執的雲彩，幽閒地飄遊在雲層間。

當文藝陷入寂沉的低谷。是她鍥而不捨的精神恢復了辛墾田園的芬芳。而我卻與她失之交臂。在我貧瘠的心田中，對她永遠存著一份尊崇的敬意。

常想著：若能與她重新在文藝園地上攜手，那怕是荊棘滿途，也會是一段美好的回憶。

「年青」雖已離我們而去，但我們卻保存著在它懷抱中的許許多多的回憶，何況現在尚有加油站為我們再延續文藝的旅途呢。

寫於公元二〇〇一年十一月

中國人擁抱了！

為中國申奧成功有感而寫，雖然中國申奧成功的訊息，已傳播出好一段日子，然而至今依然劇烈地震撼著我的心。

再沒有任何的一種場面，能比過當我看見中國人為國情而互相擁抱的情景，更能使我為之情動眼濕！中國人傳統裡矜持的個性，畢竟抵不過沸騰的愛國情操！它終能突破數千年來中國人自我約束的個性，固封的傳統觀念，以及保守的思想。

在世界人種參雜的莫斯科申奧大會中，中國人刻正為祖國的申奧成功，把心中灼熱的愛國情操，滿懷的歡悦，豁然開暢地渲洩盡致，那敞開的雙臂，將同胞坦然無忌地擁攬入懷抱中的那一刻，正是無限感懷及至高驕傲的寄語，那就是：「我們終於來到了這一天！」「我們終於登上世界康強國家的列席之上！」

擁抱：這一個美麗健康的表達動作，羨慕過多少顆赤誠的中國心，想也委屈了許許多多同為血肉聚成的熱血心腸。我們枉過了不短的歷史歲月，把那灌注了豐盛情感的表達模式——「擁抱」給模糊了它溫馨美好的註釋。

歷史裡，我們祇感受到激昂悲壯的民族愛國情，在每一步接踵而來的時代中，亦只感應過負載沉甸，莊嚴肅穆的愛國心。如今：我們慶幸能在新世紀的日子裡，享受到劃傳統，突格式，欣然愉快，輕鬆跳躍的愛國情，看到在自由坦率的空氣裡，飛翔自如的愛國心：

當它開朗地呈現在世界的窗口上，向全人類作出與高采烈的揭幕序，那才真是一樁可喜的訊息呢！

西方國家的民情，認定「擁抱」的確是一種表達情感最真誠且純潔的高尚舉止。是以：他們無限珍視它，並時常把它擁捧著，展示著。而我們東方人，由因所傳授的禮儀規範，而樹立不同的道德觀點。思想的分異，更奠下迴然不同的心理定位，我們對「它」不僅警惕著，且謹慎地埋下窺避的心態，在思想意識雜然交錯的理念中，我們奢侈地把展舒心意的管道給封閉了。

今日，不止人類的情感已匯入大同的地球村，甚至情感的表態方式，也已不經覺地融和契合。中國人大可卸下傳統的包袱，剖開那顆熊熊燃燒的愛國心，泰然自若地把心中的愛國情，與手足同胞共同歡慶分享。

於二〇〇八年的奧運會，我們嚮往那一幕不遠的激昂畫面——「中國人擁抱了」！將重在世界窗口中映現。

寫於公元二〇〇二年二月

炮火與草香的童年

我出生於動盪的大時代——第二次世界大戰——因為生不逢時，被剝削了涖臨這塵俗世間的一場開場白：沒有歡呼、亦缺少喜悅。連最起碼的問號：「是男？」或「是女？」都被免掉了！在烽火漫天中，和平的盼望，才是大夥兒們所關心的肌膚痛癢。新生命的價值在炮灰彈骸裡再也秤不出它的重量了。

虧我歷過八年可歌可泣的對日抗戰。見證了祖國自力更生、政體改革的五十年，也蒙受過僑居地于淪陷時期受敵軍蹂躪的苦難，總自我困惑著大時代的洪爐因何不能塑造出一位偉大的「我」？相反的、平庸與凡夫，一直來都是我的寫照。

常感恩上帝賜予我一對偉大的父母，當我降生在上有二兄三姐的家庭陣容裡，又適值生命處於朝不保夕，脆弱得若風沙落葉般的戰亂中，非但不被視為累贅，反而承受了親情的呵護及珍惜。

人性的殘酷，在亂世暴露得無從遁跡。日軍統管下的大岷市，晚間燈火管制，街頭小巷一片漆黑，天空更因受累而陷於陰沉無光。一晚，母親為餵食啼哭中的我，而洩漏出一線燭光；光自門扉偷偷流出，此時剛好有一隊日兵巡邏而過，隨即破門而入，父親為了保護母親，挺身擋住，面對兇暴的日兵，任憑母親跪地痛哭哀求，父親還是被押走，幾天的酷刑，釋放時，父親已遍體鱗傷，體無完膚，不復人形矣。

淪陷期間，日子在警報聲中奔跑，時光在防空洞中躲藏，我們在戰亂中苟且偷生，生命的尊嚴被殘酷的戰爭剝奪無遺。

當美國的原子彈投下廣島，日本的野心給炸垮了，日本天皇俯首向舉世宣告無條件投降。斯時，我已學會高歌「義勇軍進行曲」這首愛國歌曲，讓民族意識及愛國情操透過激昂雄壯的音符，發自內心的深處，洶湧如不可遏止的波濤……。

「起來！不願做奴隸的人們，拋出我們的……中華民國到了最危險時候……前進！前進！前進！……」

美國的旗幟飄揚在重見陽光的菲島。我看到一卡車一卡車載滿著背負槍杆的美國軍人，打從我家門前駛過。古老蒼舊的街上；人潮起伏，一片歡呼聲，在滿眼的埃塵裏，我夾在人潮中，學著群眾高舉兩指，以「V」示勝利，口中且跟著高喊：

「哈囉！約翰，給我一顆糖果！」

光復後，在寧靜不再有炮聲的深夜裡，一輛馬車，嘀答嘀答清脆有節奏的馬蹄聲踏過冷冰的石板路。我從夢中醒來，聽見母親的談話聲：

「我們該回唐山一趟了！生命好比是拾來的，這次回去要謝一個『天』。再說我年老的母親，多盼望見見我們一家大小……」母親哽咽著不再說下去了，沉默像深夜那麼沉重。

隔了一個雨季，我們舉家回「唐山」，故鄉在我的想像中是一座長長的山——而它，確實是一座長長的；走不盡的青山。山上有引人陶醉的綠林，山下有令人緬懷的人家。

登上大輪船——「十三港號」。在汪洋中乘風破浪，浩瀚大海戳開我視界的圍牆，宇宙的遼闊向一望無限的天邊伸展。我的人生打開了嶄新的一頁；一片廣闊的天地，一節牽掛著故鄉底溫馨的兒時，一段終生難忘的回憶。

不受戰火波及的故鄉——腦海中的唐山，寧靜而安詳，蔥翠的山巒遙遙地眷顧著整個村莊。山脊上樹木依然青茂，草地綠油油，野花散遍山野，黃赤坡上牛馬成群，村頭龍湖裡的水不乾涸，湖裡的龜衍生不息。村後石板橋泰然伏臥著，飽賞溪水婀娜的舞姿，遠處白雲朵朵飛過樹梢……。

我睏眩在轎裡，任由轎夫一路「依呀依呀」地搖拽著趕路。當來到村口，一串爆竹聲把我一路來因暈山而昏眩沉沉的腦海給震醒了過來！掀開轎邊小布簾一瞧，瞥見村前一片人影。

父親自馬鞍上跳下，趨前與村人寒暄握手問安，頗有衣錦還鄉的氣概，剎時我們遂被眾人所包圍，個個成為焦點人物！

來到父親白手興建的住宅，親睹了這座兩落的大院子；丹紅的雕樑，龍飛鳳舞，還有栩栩如生的八仙過海。宅前有鋪著青崗石的大埕；寬曠敞闊，埕邊一口水井，包容著生活的一泓深情。我徜徉在拾級的石階間，數著兩旁滿樹的玉蘭花，爭吐芬芳……。

重新去適應一種完全陌生的環境，融入異地新奇的生活方式，調適寒熱差距頗大的氣溫及田園的氣息，豐富了我的童年，也深深埋藏了我四十年悠悠的鄉愁。

記得我兩歲時弟弟出世，我因招弟有功而受褒獎。在傳統的一些規定裡，我贏得了格外的待遇。

秋天是辦喜事的季節，大哥千里迢迢地自菲回故鄉成親，大嫂是過鄉家出外人的女兒。迎親的黃道吉日，晨露尚濃，天未亮，我惺忪著眼睛被打扮得妥當坐上轎子，聽說是跟弟弟代表男家到女家「挑燈」去的。在鑼鼓喧天中，我們抵達女家的大門，打開轎簾，我把頭鑽出，即聽見有人聲嚷嚷著：

「那有女孩子挑燈的？」母親違反風俗的慣例，雖未能得到村中人的認同，但無疑的在我生命中一直得到肯定。

大除夕，縱然霜寒水凍，冷風肆虐，在深夜的月光下，家家户户還是例行著傳統的風俗；在户外燒燃起一堆小火圈。男孩子輪流著跨跳過這象徵著「光明燦爛」的火光。生為女兒身的我，唯有「看戲」的份兒。頂著凜寒的朔風，跟大夥兒旁觀。

這時父親突把我抱起，一躍跳過熊熊的小火圈，邊說道：

「誰説女孩子不能跳火圈的？」驚喜與驕傲的情懷在受寵若驚後接踵而來，我幼年的心海裡激起一波對父親永無法忘懷的感激之情，它更孕育著我成長中的無限信心。

春天來了！

故鄉的春天像情人那麼可愛，它的氣息洋溢著吹不散的草香，它的景貌映印在人們的心版上，年年復年年。

旭日初昇，上山下田的農人走滿山路，在艷陽下，我曾在水田裡吊踏著水車戲水、蹓躂在田壟邊的菜畦。當夕輝散落在青青的草地上，我們抖著籓箕沿途拾回一堆堆一串串的牛糞及羊豆屎。

嗅著飄自莊稼的陣陣草香，心中不禁唱起：「白雲故鄉」……。

「朵朵白雲飛向我的故鄉，青山蒼蒼，綠水泱泱，看那東方鮮紅的太陽，歌唱我的故鄉……」

寫於公元一九九九年的春天

寫作的搖籃

嬰兒的成長過程，總脫不了一張搖籃，不管它是粗木濫製的，布條將就的、或趨時繽紛異彩的西式設計、或是東方品味的檀木所造，它的作用不外乎是為了維護嬰兒在成長中而作的安全設想，像一座堡壘、森嚴地作著安全的防範，唯恐有絲毫的差錯，如此以期讓小生命在順境中安穩地成長。

一位作家的成長，也需要有幾個搖籃的階段來造就，好比興趣的搖籃，環境的搖籃、機緣的搖籃，甚至外在刺激因素的搖籃：是栽培出一位作家的渠道。

興趣的搖籃來自天性愛好，機緣及環境則有待外界的機遇來促成，而文藝園地的開闢，讓習作不斷的刊登，像一畝貧瘠的田地，得到及時的灌溉、施肥，土壤中的種子得以萌芽，茁壯結果纍纍。

我非作家，但我曾與興趣的搖籃為伴，更曾幸運地承受到機緣的搖籃所鼓勵，所以我該擁有環境的搖籃所能賦予的著作潛力：成為一名作家？當然，那必需在我於寫作的興趣上不斷地提升，又環境不變移，且機緣又不錯失的維護下，不過縱然祇為興趣而寫作，已滿足我內心世界的需求。

記得在中學初中時代，因熱衷看小說，進而對文藝入迷。總嚮往自己有朝一日亦能寫出一些作品來。到了高中，即禁不住地偷偷寫了一些膚淺的文章，以不同的筆名投在文藝園地上。當時因缺乏信心，既恐懼著自己用心費力寫出的作品被否定扔進垃圾桶，又擔憂著一旦作品被錄用登上版位時為人所洞悉？那陣膽怯及徬徨的感覺，曾困惑了我對寫作的滿腔熱情，像沒國籍的遊民，飄蕩在沒有根　的文藝曠野摸索，尋覓正確的地點落足。

到由筆友的引導邀請加入文藝社，身處在一群抱負相同，興趣相投的志同道合者中，互相的指導及鼓勵，在創作中獲得鼓舞及支持，好勝的心海中，終激起層層的浪花。

曾閱讀過菲華女作家黃安瓊女士的一篇佳作：「為文記」！她坦爽地寫出內心的一幕感情：「文章既成不讓大家看看，似乎不足以化解這股悶氣，就投了稿。沒想到居然幸運地被頗具「慧眼」的老編看中，藍字變成鉛字，我的夢想在漫不經心中成了事實，這份驚喜帶給我無限的勇氣和鼓勵，刺激了我寫作的慾念和興趣。」多少成功的作家，在她或他的作品完成前，都有一段在寂寂無聞中摸索，探討的過度時期，懇切地期望著才華受肯定，作品被認同及受欣賞的心態：常是作家初期的狀況。

當幸運——（機緣）——來到，夢想成為真實」，那份喜悅：終於帶動了寫作的路程。

不可否認的——「勇氣和鼓勵」：是初期寫作者的精神支柱，而文藝社往往扮演著支付這股力量的泉源。

當我們的滴滴心血凝結成珍貴的文學作品，我們總會想起遙遠處那隻曾為我們在文學生涯中的成長而搖曳的寫作搖籃吧！

寫於公元一九九九年八月

不熄滅的燭光

常在電影或電視螢幕上，看到劇中女主角扮演歡渡壽辰時，吹噓小燭光的鏡頭，情節既感人，場景亦是燦麗豪華，或因我理解世間一切繁華，終必歸向過眼曇花，是以在情緒上未曾激起共鳴。淡淡的感覺，旋即隨風飄散。

日常生活中，年年也總有幾次為兒女們的小生日，操忙著選購生日蛋糕，要插小燭光的「雅興」，祇是心中懷著的是一種作為母親的責任感：欲借重形式來表達心中關愛。

是以在我的意識中，便把這一撮小燭光草率地下定了它的使命：祇僅是為傳遞一份「顯耀」及「關愛」而已。

然而當它乍然熠閃在我的跟前，並賜我能對它做「祈求」時，它的任務已不再祇為傳遞使命，而仍是傳達一份友誼的溫馨。面臨這一幕多麼熟悉然卻不曾親身經歷過的感覺，令我情緒激動，小蠟燭四射的光芒，照亮了我暗淡的內心。

此刻更深悟在茫茫人海中，並非祇有身邊的親人，能把關愛帶給我們，新知初識的泛泛之交亦肯慷慨地打開心扉，把人與人之間的友誼，作更一層的昇華。把人際關係拉近。

當我失落在哀痛中，慈悲為懷的妹妹，本著她一顆菩薩的心腸及一份至誠的手足之愛，力邀我加入她們的羽球陣線，那是由一群閨中好友所聚集而來，沒有正規的訓練及條例，純粹只為鍛練身心及調節生活樂趣而組織，她們當中有任高職的學校職員，生意場上的女強人，賢內助，懷有高超手藝的女超人，幸福的家庭主婦，更有新時代兒女的好母親。處身於繁忙無暇的現實生活中，她們卻能努力地為自己規劃出一片小空間，做一位掌握著自己時間的智慧者。

在羽球場上：因人性的固執，免不了夾雜著人類脆弱的一面：勝與輸、謙讓與爭鬥，如世界廣場中容納著的生態百面觀，然在功利是求的環境的薰陶下，若能培養出一份友情，確是我不忍捨棄的一份「緣」。

於是，我投入她們的羽球陣容，作一位無能有所奉獻的新生兒。承大夥兒的接納，讓我得以享受在球場中追逐的樂趣，在渾然忘我的境界，我抹乾淚痕，把煩惱拋開，更把那份痛深藏。

珍惜生命成了大家的處世宗旨，讓日子過得更充實更美好，是大家齊心共赴的目標。於是有人建議除了作健康的娛樂外，不妨安排每月份一次聚餐，且趁此為該月份出生的友伴慶賀生日。小小的張羅，發揮深長的意義，即博得大家的贊同附議。

八月份我何幸當了壽星！

精巧的小蛋糕上插了一支象徵式的蠟燭。細小的蠟燭燃燒著熾烈的火焰，火焰反映我濕濕的淚光；此情此境，不知人生是戲？抑或戲是人生？你導我演或你演我導，總逃不出感情的牽引，而這份感情常是你我都不能割捨的痛。

我閉上心眼，向上天祈求：「願有一條時光的隧道，讓我重新再來過。」

寫於一九九九年十月中

施柳鶯與小四

——辛墾文藝園地是一畝純樸怡靜的田園——

如二個迴響著截然不同音符的名字，曾使我在：「其人如其文」的慣例上，犯下了自我想像的錯誤猜斷！外表溫柔多情、趨于古典風範的「施柳鶯」，確實真難教我將她跟文章上的作者——「小四」連想在一起！

很想問她：為什麼叫「小四」？

歷過交心的一段友誼，終於徹悟了她之所以喜愛「小四」這個人物的根源：原來「小四」也：乃係身處在大千世界裡，卻宛然不受俗世所局限的一個超脫人物！能坦然無忌地暢所欲談，正是她自己塑造的人物。

小四以生花的妙筆；揮描一篇篇包羅萬象的浮世繪，勾劃映現在她周遭的各類型人物，以人性每個角度的層面，投以不悔不倦的精神，一筆一撇向讀者闡述。

「掌中漢字」；是她掀開人性真諦的作品之一，小四以心同感受的筆觸，寫出凡屬有理性的國民最基本的剖白：「我是中國人，死是中國魂！」愛國愛民族的情操，一直來是小四文章裡的忠貞經典，更是她內心感性的呼籲。

認識小四是在「先見文，後見人」的特殊情況下，因而有一節「錯愕」的回憶留在我珍惜著的記憶中。記得小四是辛墾文藝社八十年代的第二批接「幫」人之一(辛墾人常自喻為丐幫！)，當時由於有如此一批才氣橫溢，文筆精美瀟灑的新一代的輸入，使得辛墾文藝園地朝氣蓬勃，除作品豐盛外，社友聚集的頻率頗高，且會務活動亦隨之增加，於是，我得有機緣與小四相遇：她修長似弱不禁風的體態，不凡的傳統氣質，姑不論在言談或靜坐的狀況中，總散發著一股優美的古典韻味，倒是：當用心細膩地欣賞她的作品，卻體察到在她馳奔的筆尖下，那股不能掩飾的剛毅之氣，令人不得不對她另眼相看！

一頭綣曲長髮，隨風輕逸地飄盪：正是小四給人的標誌：人們能遠遠的就把她給辨認了出來！「小四在那裡」或「小四來了！」輕輕的細語，經常在一般場合或宴會中，自一個耳根傳遞到另一個耳根中，此情此境，任誰都不能否認小四的人緣多廣泛多好！而名氣如斯響亮的她，可依然不驕不謾，待人對事和藹謙恭，跟她交談，如遇多年知己，濃郁的人情味，在崎嶇的世上，曾使陷落於命運底深淵的我，重有邁步的力量。精神的支柱：友誼總是在默默中付出。

一位作家，當看到作品結集發行，有如一位建築師之看到手中的藍圖已豎起高樓大廈，心中的成就感是踏實的。小四在寫作上的豐碩成果，是菲華文藝界所公認的成就，而她辛勤的回報，不僅成全了辛懇文藝社對她衷心的祝福，而且分享到她的榮譽。

辛墾文藝園地：是一畝純樸怡靜的田園，土壤芬芳肥沃，紮實的種子核，於四十年間，傳播在自由的角落裡，不斷生花結果，不僅果實纍纍，且已釀出香醇的美酒，我們此刻為田園裡的豐收，獻上感恩的心懷，同時向為文藝的光輝，而與我們並肩攜手走過來的旅菲蘇浙校友會，致上我們無限的欽佩，他們的肯定，以及為文藝所作出的貢獻，是菲華文藝旅程上一盞矚目的燈。

一分的耕耘，必有一分的收穫，上帝向世上作公平的應允：「少種的少收，多種的多收。」（哥林多後書九．六）冠冕歸于至高的上帝

寫於二〇〇〇年六月一日

月曲了的詩

永遠那麼清晰地留在記憶中，平凡生前手不離卷的其中一本書籍，正是淺藍色封面的「月曲了詩選」，在咖啡室的一偶，或落日的海邊，總能看到他揭開著詩選，與詩人共享醉心的靈感。

無可置疑的，月曲了的詩，一直來是平凡所心慕的詩作，一面心照的表態。月曲了的詩，像偉大的鋼琴家在琴鍵上彈出的音韻，音律震波細長，敏銳地潛入讀者心境的深處。我每況讀月曲了的詩，總不能自禁地被詩句中的意境，傳遞的思緒，引入詩中的境界，錐心的感觸，常激動得我非把詩頁擱合，難以壓抑情緒的沸騰！

因平凡而結識才華洋溢的月曲了及其熱忱的王錦華賢伉儷，「相識恨晚」的感慨，是我心中一份努力以挽回的遺憾。

不過，欣賞「月曲了的詩」，倒是這份遺憾的彌補！

寫於一九九九年十一月八日

回憶中的一位過客

——我與晨夢子——

對無法以機遇率作準測的「相遇」：我們常以「緣份」來作解釋。對無從得知的「結局」：我們也只有以無奈的一句「緣盡」來作了斷。

於書卷飄香的五月，我于亞華叢書發行會中，喜逢闊別了幾近四十年的當年（六十年代）文友——晨夢子，內心的感受，既驚喜又沉重。她的出現，正是啓開鎖藏在我心深處的一段緣的回顧。

掀開回顧中的段章，方知曾盛藏過無數的「當年」。倒是那串串的當年中，曾有過這麼一個當年；晨夢子像一片輕輕的浮雲，披上繽紛的彩霞，飛逸過我年少時青青的草原。

發行會後，會場中依然綢繆著一室緊密的人情，人影恍惚蠢動。就在我視線的一角落，出現了一張熟悉的輪廓：「晨夢子！」，我喜悦然不免帶著幾分置疑，隨即趨前試測著問：「是瑪莉嗎？你是瑪莉嗎？」（晨夢子的正名）。

她回轉過頭，掠過炯炯的雙眸，回應我兩道深沉的注視：那一刹的凝滯；正是時光飛越過的印證。她追尋消逝的往事，終自記憶中走出曾經把我們隔離著的關山。

「啊！ＸＸ！」她嚷出一大聲，聲調仍如當年的輕快速捷，只是已不再是能震顫我耳膜的高嗓調，更不見那幕隨之而來的蹦蹦跳跳！儼然歲月亦曾經帶她走過人世滄桑。

我們相對而視。面對著這位心中不能忘懷的舊友，我心中的感受，卻反而有若失的悵惘！

懷著滿腔濃濃的情誼，無限珍惜的感懷，我們於會散人稀後再續未了之緣。挨著快餐室的小圓桌，不招飲料作陪。隔桌有年青人嘻嘻哈哈的談笑聲，黃昏的斜輝正一寸寸向我們的身傍移近。她向我侃侃談起她的生活及工作：遠遠又長長的一段路上：有煩心惱神的小事，也有斬荊挑戰的大事：生命本來就是一場奮鬥的過程！她追蹤著年青時的抱負：走上神聖的教育工作，且不捨棄一生的願望：登上專業的「專欄作家」殿堂。一路走來該有多艱辛！？應該有汗也有淚吧？！而我，我的手臂卻不曾伸搭過她峭薄堅硬的肩膀，一分或一秒。

記得那個當年（六十年代），十九歲的我與晨夢子相識於辛墾文藝社，因著文藝的機緣，而經常結伴作伙，閒蕩於慕渴的畫廊，靜寂的書店，或徜徉於清雅舒坦的黎刹大街林立兩旁的書刊及畫具行。少年的閒情，如萬里長空，了無盡處。

她的豪爽率直，使她落得純真稚氣，她活躍外向的性格，帶動我自膽怯木訥的少女矜持中，從自我束縛的心境、解放了出來……

我們曾經借著風和日暖的假日，在舖著細沙雜夾蝸殼的海灘上遊玩，她劃著「著作」的城壘。我描畫溫暖的小屋。我們引吭高歌在海中的小舟上，望著起伏浮滿在波上的海藻高歌。她唱她的：「教我如何不想他」，我唱我的「紅豆詞」。她陶醉在海洋深邃的呼吸中，而我幽幽地直把新愁唱滿畫樓……

星期天，我們曾經打著大早追趕早場的電影首映！爭著搶先一睹正風靡著年青男女們的電影片：「青春少年」（THE YOUNG ONE），在黑黝黝的戲院中，澎湃著青春的熱潮，一顆顆年輕的心跟著銀幕跳盪，不僅於此，還撕聲裂喉地嚷呀嚷！我也跟著喊得嗓門都啞了！走出戲院，還滑轉著兩顆淚光油油的瞳仁，倒是相顧滿足地大笑了！

她常常作突擊的來訪！乾脆俐落的作風，縮短了陌生的距離：她成了我家的熟客，祇是家中的人，總改不掉叫她：「那個有日本筆名的瑪莉呀！」的習慣，到後來倒反把「瑪莉」給遺棄，而牢牢地將「她」與「晨夢子」連為一體稱呼？

廣東原籍的晨夢子，可操一口流水般暢通流利的福建晉江話，不知底細的人，常因聽到她講著正統純腔的廣東老話，而反倒受愕吃驚？生命裏語言的恩賜，幫她突破省域溝通的困惱，使本性活躍磊落的她，更能擴展人際的空間，當時在文壇及詩壇上甚多有知名度的作家詩人，在我的記憶裏，幾乎都是她家信箱裏的書信供應者呢！

擱下她外在的優越潛能，她猶賦有豐富的內涵素質，一手似嵌著鋼筋的絹秀字跡，飛翔的筆影，創作出文思生動的作品，連連篇篇。一度是六十年代文藝園圃中，一株土生土長的奇葩。

我一直相信一對夫婦之結成連理，是歸于緣份的註定，而兩位曾經聯袂作陣，一塊望青山泡綠水的朋友，冥冥中亦因牽扯著一線「緣」而促成。

要不然：我與晨夢子何來這段讓我思思念念的情誼。

平庸如我，又何能邀她走入我的過往，作我回憶中的一名過客呢？

寫於二〇〇〇年七月

悲傷的差錯

常回想起二十年前，外子跟我談過的一席話：

那是一個星空掛月的夜晚，街上偶爾有一道刺眼的車燈閃進我們的窗框。那時候我們剛剛從喧鬧的市區遷往人煙稀疏的郊外，生活中常因交通出入的不便，而產生了一些苦惱，當晚外子突然心血來潮地建議我應把「駕車」技能學上道！試想在那個籠罩著保守風氣的八十年代華社，不說女人駕車已屬罕見，更甭講是上了中年的女人還學駕車的荒誕事情了！

當時的我：還真的確確實實地被他夠新鮮的建議所震愣。記得還曾劇烈地作反駁：「我學開車作啥用？有你開車已夠了，反正，我又不會獨自開車出門。」心中無限委屈，於使便埋怨著，總想：真是多費周章的一舉！

祇是他仍然堅持己見，且一路堅持下去：

「駕車是一項技術；如果我們以正確的思想，而不混淆任何偏差的觀點去看待這件事，駕駛不僅是作為一個現代人應俱備的基本技術，且應是生活中不能或缺的一項知識。」他不因我的異議而搖動他所認為的「觀點」。反而以激將的口吻向我挑釁：

「問題的重要關鍵，還是你能不能把它學上手？」接著又以一貫的詼諧語氣滔滔地説：

「萬一：這個國家不能獃下去了！至少我們可以到另一個國家當司機開車謀生。這可是一條正正經經的謀生路徑噢！」他向我顯耀他的遠見。

他的精粹闢論總算搖撼了我固守在心理上的障礙；以往我總感覺：「女人駕車」多少脱不了有「虛榮」的嫌疑，再説一般社會人士的眼光，畢竟莫能加以漠視，要完全排除心理上的陰影，談何容易呢？何況是膽怯又軟弱的我。

然而，我竟然有了成就！那是在外子無限耐心及鼓勵的支持下的成果。

事隔二十年後的今天，而外子離世已四年。當我獨自駕著車子，伴著空無人影的右坐墊，在夕陽無限好，然而卻帶著無限底遺憾的黃昏中，行駛在每一天的歸途上，心中的感受既悲又痛。

雖然如今，我已能隨心所欲地不擇任何時間、地段、駕著車子飛馳往草茵青蔥的山城與他相會，可是每一次的回歸路上，總是披戴著身心上滿滿的傷痕回歸。

寫於二〇〇〇年十二月

抱孫情

打從兩年前五妹搶先了我一步抱孫後，每次見面，她總是興高采烈地向我敘述她的抱孫情懷。喋喋不休的描述，時而還比劃著一些小孩的連環逗人趣事，引得我跟著她樂得心花怒放。直想著：這些確實令我嘖嘖稱奇的小動作：如模仿大人運作手提電話啦！按電腦鍵啦！這些的這些……豈不是引證了人類的「嬰孩期」也跨入了廿一世紀的科技時代了？更難以想像的；是他們的模仿技能，也已駕上了連網站呢！聽著，聽著，心中好生羨慕，抱孫之心，油然而生。

偶爾，當五妹因情緒興奮而激動得手忙腳亂的節骨上，便見她賣起關子來，神秘兮兮地說：「反正，當你抱了孫子，你就能體會出這種感受了！」此時，我的抱孫盼望便落得更迫切，急不及待了。

大女兒的姻緣線，遙遙無期，幸好老二乖順地先踏上了神聖的紅毯……

我的抱孫盼望，終歸有了著落。

今年，我終於有了一個小孫女抱了！更不可言喻的，我還進得了產房，在旁吶喊著當位得力的助產婦。當那一串哇！哇！的啼哭聲激昂地響徹產房，目睹一個活潑的新生命安然誕生，那陣散發自心中的喜悅，確是我畢生未曾享受過的，這份喜悅，該就是人生中汲汲以求的「抱孫情」吧？

小孫女的來臨，倍增了我對人際間緣份的珍惜。生命的降臨，原是無從選擇：何處？何家？就在於緣份與造化了！正因如此，「她」在我們的心中便顯得無比的可貴。而人與人間的緣份，就藉著這一刻奇異的連繫，必須以一生一世彼此付出及接納。

曾因忽略而溜失掉很多偎抱「小兒」的樂趣，此時手抱孫，腦中總會去連想那段好遠的「育兒時」。只是如今已成「回頭一看」的往事。甜蜜中卻免不了有一絲的遺憾，沈澱在心底處，低迴不散。

在清閒的老年，浴著煦日和風，陽光下朝氣活潑的小孫女正戲玩著：我細細端詳她那好熟悉的小面龐，那震撼我心弦的輪廓；一雙單眼皮的小眼睛，寬闊飽滿的天庭，好相似的神韻，彷若自同一個模型中塑造而出，未能抑制地牽扯出我好多的思念。

血緣的繁衍，延續了生命的界限，縱然佛家說：生命原就無界限，生生死死，死死生生，沒有來時，也沒有去處，循環輪迴，了沒止境。但若能借得此一刻(一生)的相聚相惜，不妨傾我們心中的所愛，愛之。人同此心，情同此理，生命因有了愛，才贏得了人間的留戀。

記得在一次辛墾聚會中，祖父輩的文炳社友滿面春風地侃侃談起他的小孫兒，他說：「小孫兒真像一隻小動物，那麼可愛！」動物之所以可愛，乃因牠能動，能叫，更有一點貼心的靈性。而我們的小孫兒(女)呢！是一位能回應，肯回報，有智慧，俱有極高人性的萬物之靈。因得造物者的賞賜，來到我們的身旁，做為我們心坎中一塊罕世的無價瑰寶。

寫於二〇〇〇年十月

婆婆心　媳婦情

喜氣洋洋中把小媳婦娶進門，我晉升了一級——當上了太皇寶座上的「婆婆」！只是這個享盡傳統威望的赫赫名份，卻僅只是為我見證了千古以來常為人道的一句話：「當年的媳婦，今日的婆婆。」之說而已！自幸時光的承諾，為我作了信實的兌現，更歡悅它把我捧上人類的演進程序，賦我在人倫的層次上，畫上了顯赫凜然的冠冕。

當上了婆婆的我，總覺有如置身於一場人生戲劇的重演中。祇是，此刻我正替代著去扮演劇中的另一個角色：這位曾是我夢寐以求，且曾經是我一生中專誠以待的赫赫人物。

對著儼似一場又一場連續劇本般，輪轉演播著的短暫人生，內心真盼望能以美好的姿態、真誠的形象，粉墨登場，為接下去的續集無憾無愧地作出一場精彩的演出。

歷史如一條競賽的大道，每一個人都是賽道上的選手。然而，當「我」落單在它的跑道上，卻曾因未能擺脱傳統的思想，而枉然騰空了一截年代。如今，卻又因徬徨在陌生的互聯網路上跟時代脱了節，在快速的時空中，任是趕不上乘登資訊的快艇！

當迷失在高科技的領域，徘徊於傳統理念的取捨之際，深深體會到親情才是營造心靈慰藉的資源。

於是，經營與小媳婦的融洽相處，遂被列為必須進修的生活課程，為欲謀得豐碩的成果，那麼心靈的交通，愛心的傳遞，該是唯一的渠道，縱然愛的表達在兩代的婆媳間，輸送的運作確實是這麼的滯澀難行，然當欲能達致心靈的契合，這份努力，勢在必行。因唯有打開「愛心」的關卡，才是最透明的表達。

自躍升為婆婆後，我便常作自我警惕和檢討，唯恐感染了時俗傳統婆婆的氣焰與架勢，而籌造出彼此間的隔閡，何況在心理上的障礙，一直來就深蒂根固地伏埋在傳統的婆媳間。

回想當媳婦的年代，總是無能為力！當身歷其間，無論是精神方面或肢體的付出，總受「禮教」與「孝道」所規劃，而將其一切歸于理所當然。內心真誠的意向，無從表白，亦因此得不到相對的回應。遺憾的悲哀；如一架沉重的十字架，就這樣一代一代地任由作媳婦的繼續承揹下去。

而今，面對天真純樸，心懷無瑕的小媳婦，撫平婆媳代溝的心思，幾乎成了當務之急。倘若為取得更確實的效果，而以反傳統的禮儀，作倒行的規則，先把關懷的愛心慷慨地輸出，又何嘗不能呢？只要能培養出彼此真誠的相待，「輩份」、「禮節」、「尊嚴」等懸掛在傳統心理上的面子，在愛無境界的奉獻原則下，已受包容。

夾縫在中西文化交流的漩渦中，新舊思想觀念輪替的雙重代溝年代，欲從革新的理念，智識，舊有的風俗習慣裡，理出一段坦然以對的心情，確是我們這一代的婦女們面對的一場挑戰！

寫於二〇〇一年四月

溫馨的友誼

——赴詩人月曲了：詩的研讀會有感

「都已三年了，月曲了對平凡的感情，仍然那麼濃郁！」赴亞華好書研讀會後，返家途中一位文友無限感慨地唏噓著對我說：

「平凡有友似月曲了，值矣！」她確然為平凡能在有生之年得此美好的際遇而讚羨。

的確是的！月曲了樹立著一份真摯，雋永底情誼的形象；一份能接受時間考驗且不受空間隔疏的友情。因他真誠的暢露，而表彰出友誼的可貴。

平凡匆匆來世間一趟，他生命中豐盛的收獲；是寰間敦厚的友情，可慰的是在他萬般無奈地告別大家時，他曾持之以恆地；以赤誠的一顆心相待過每一位曾經走過他生命之旅的相識。他以灑脱的風範，愉快的心懷，為關愛他，以及他所熱愛的朋友們；留下一段堪嘆：「古今多少事，都付笑談中。」底歡愉的往事，作追憶。

研讀會中，月曲了為大家敘述：「遠方」，這首詩的背景：平凡生前的瑣事，剎時浮現在大家的腦海中，因乃發自作者(詩人)心之深處的傾吐，情感真摯，懷故友之情，流露於語言間。會場肅穆無聲，沉重的氣氛感染了大家的心情，我更為這幅：「人間有情，世間有愛」的場面所感動而哽咽不能自己。縱然世態有莫可厚非的冷暖，然畢竟溫馨的友誼，最能溫暖人心。

常有人這樣說：「最美麗的語言是謊言！」因為它被修飾得完美無瑕！而一首詩，因文句之精湛完美，意境之高超深奧，尤詩的境界須以「意會」及「想像」的智慧去觸摸，如此幾近完美無缺的創作，使詩人擁有了「詩人的文字都是謊言」的殊譽。

然詩人的感情是真真實實的，它綻開呈現在人性的高峰，以文字的軌道，馳達人心的最深處。

寫于二〇〇一年

中正十九屆情義的牽掛

幾經掙扎，始堅強地鼓足勇氣赴十九屆畢業四十週年慶典大會：畢竟觸景的感受是沉痛的！

有失落、有遺憾，所勾引起的哀傷，更是錐心刺骨，然萌生自內心的懷舊之情，偏是如此執著地緊扣心頭，六年的同窗情誼，懸懸在記憶中難以忘懷，面對闊別四十年的同學們：重逢的激情，尤難以抑制。當追溯此份奢盼中的情懷，方知皆緣自生命中難以坦然割捨的一段際遇。

此時此刻，縱然已能揣摸出彼此的風貌：皆皆霜髮兩鬢，皺紋呈現。然閃映於腦海中的影子，依然是當年年青時的「您」與「我」，這份堅貞的情感之不受現實中風霜的摧損，乃因它來自一段天真瀾漫的年代。

以交集的心情，錯雜的情緒，懷著隔世般的惆悵，糾纏著夢魘般絞心的感觸。踏著蹣跚的步履：來到久違的會場。會場中慶典氣氛高昂，燈光熤熠燦然。當面對依稀相識，然此刻卻顯然透著陌生的場景，它雖曾是我所熟悉過、熱愛過的場面，如今卻是人事全非！（在我的心境中），揭開我內心世界的序幕，更是一片孤寂落寞，直問人世變幻，何甚堪歎！

展開慶典特刊：篇篇回顧感言：「珍貴的往事」、「甜蜜的回憶」：都標誌著您我相似的航程，不同的是，您或者是航程中一名平平凡凡的航員搭客，而我，是航程上一名佼佼的舵手。在飄泊的人海中，有各自追逐的靠岸。您或許得跨過驚濤駭浪的大汪洋，而我可在風平浪靜的小溪中渡過，雖然在彼此截然不同的旅航上，有各自編織的美好圖案，然在彼此的心境深處，卻牢牢地牽繫著那一絲扭不斷的牽掛──「同窗情誼。」

這份情誼，溶合在記憶的段層裡，長伴著我們的生命，走過每一段漫漫的人生。而它已失去選擇的權柄：不管是騰達或落魄的「你」或「我」。

按捺著起伏的情緒，回顧塵封四十年的往事，恰如一卷收藏在心幕中的影片，在不容磨滅的往事中，追尋你閃耀過的影子，在失落的抖擻中，驚愕您在航程的屏幕史記上，已被劃分為「不容保存」的一頁，昔日的光輝再也無跡可尋。

於輝煌的屏幕玉照排列上，您的缺席係生命無奈的失落，「不容保存」卻是世情的薄涼！

幾經何時？您也是領航的舵手之一。曾在繼往開來的旅程，投入真誠的感情，注入同窗的熱愛，付出開拓的心血與精力。然您真誠的心意，濃濃的血液，還是經不起「生」與「死」底界限的過濾！人們的思想被局限在「有生」的現世中，「現實」得到標榜，「死亡」正悲哀地，受禁忌著、被冷落在讓人心寒的角落！

生原莫能求，死亦難以逃。生與死在人生的道路上原就脆弱得僅只一線之隔而已！況生命的預測是如此這般地莫能奈何？

是以在高頌著「情誼長存」，著重「同窗情誼」的精神領域中，對每一段航程中的舵手，應該享有心靈或精神上相等的尊重，而不是「棄權」的淘汰！因為歷史不容斷章，在每一段過程的進度，都有個別盡心的付出及貢獻，在回顧的追蹤史記中，既然有褒獎，也就應該同等的給予緬懷。

當我們為維護「同窗情誼」的價值觀，而費盡心思地以無限的時間，無數的金錢去培養滋潤這份情誼的延綿不息時，不妨該為未來作周密的深思，因它連繫著無盡的嘆息，無盡的牽掛！

寫於公元二〇〇一年正月

註：外子施清澤(平凡)曾任中正學院高中第十九屆級友聯誼會第十二屆理事長一職，由於於四十週年慶典會刊中，所刊出歷屆理事長(諮詢委員)的一排列照片中，沒有他的遺照(他于一九九六年離世)，因有感而寫此文章。

我熱愛十九屆同窗聯誼會，這份感情永遠走不出我的生命。但爲維護外子的尊嚴，恕我未能達到把自己塑造成「緘默底美德」的楷模。盼望同學們能體諒我心靈上的創傷哀痛。

找到了！

生活中常常有這麼一幕：「找到了！」的情況發生，而由它所帶來的驚喜，往往可與「失而復得」的至高感受，並肩媲美。若把這份感受列入「感恩」的境界來歌頌，我相信凡有過這種經歷的人士，一定會跟我一樣樂於讚同。

數月前，曾向一位文友跨下海口，將剪下某日某專欄中一篇有關「她」的報導文章交給她，因該篇報導不失為一篇正面且俱有鼓勵性的文章，而我又總認為若能讓寫報導的人與被報導者，彼此得以溝通，確是一項美好的「快事」。

是以我自動推薦當起郵差；傳遞信訊。因係平生第一次做這種善事，故格外謹慎，且小心翼翼地深恐有所閃失。回家後，自忖應把剪報收藏在「萬無一失」的密處，以便下回碰面好向她交差。

豈料此一「收藏」，或因機密度超過了記憶的範圍，竟與記憶力斷了線！數週來便一直在覓覓尋尋中打轉；翻箱倒篋什麼都做了，可就是找不到伊人蹤跡！

其間，我與該文友倒是碰過幾次面，可就是對「此事」，彼此緘口不提。她之所以不提，也許該篇文章她已過眼了？再向我索取，豈非多此一舉？或許她的仁慈心腸不忍為難我？不過我肯定她是不會把「它」給忘了的！而我呢？因未能實踐承諾，交差一事看似遙遙無期，便只有默默地承受內心沉重的自責。

本已不再存任何寄望。豈料……。一天，不經心地打開抽屜，竟一眼觸及那篇「報導文章」正坦然無忌地呈現在光天化日下！

還來不及去偵查它的來龍去脈，一陣喜悅已先襲上心頭。「噢！找到了！」沉重的心情豁然開釋，隨之而來的是令人開懷的喜樂。人生中原來尚有一種不屬於我們所奢求的「喜悅」存在著？它默默地藏匿在不露眼的一偶，卻熱心地期待著那千載難逢的一刻的來臨，再展放出它的千鈞活力。

而於另一角度，又不禁令人疑惑人類矛盾的一面，無端端地平白給自己找來一些麻煩；折磨自己，而所為的不外乎是因「人情」與「道義」的牽扯。

如果說人生佈局著玄虛的奧妙，那麼我們不妨把這份深微奧妙的哲理：歸功於乃人性純真的一面所激發出的火花。

寫於公元二〇〇〇年十二月

畫一幅臉孔

——平凡詩——

謹以此文紀念平凡逝於六年前的九月十三日。

沸騰著高溫的一個暑天，午後我懶散地倚在沙發上遐思……仰望窗外的藍天白雲，視線由高處遲緩地墮落在草木茂盛，花香馥郁的小園墻裡，園中的紅花冠凋謝了，它殷紅的倩影消失在一度擁簇著它的群綠中，然青蔥的葉瓣在隔著晶瑩冰霜的玻璃窗片，乃透出令人心曠神怡的翠綠。

廳中另一小隅，小孫女的媽，正聚精會神地調教著女兒畫畫，掌中的蠟彩筆如生輝的彩棒，在夕陽下，灑閃著繽紛的彩影。

「來，媽媽教你畫一幅臉孔。」小孫女的媽聲音柔婉，如林中的小溪流，語意卻篤定自如，畫師的口吻更為她凝聚了畫家的風韻。在靜美的黃昏溫室中飄逸。

「畫一幅臉孔」！多麼熟悉，親切的句啊！它剎時在我靜謐的心湖中激起波濤。我自遙遠而渺茫的沉思中，回歸到心潮起伏的現實裡。我追蹤這句深烙在腦海裡，與我的心已溶合為一的句子的蹤跡。撥開記憶的封塵，我找到了平凡的軌跡；它們以緊密的心聲、透過萬里雲山、帶著光亮與溫暖，烘熱我冷寂的生命……。

畫一幅臉孔

平凡詩

頭髮是葉子
額上的皺痕是葉下的陰影
眉毛是幼苗
眼睛是果實
鼻子是樹身
（貪睡的樹是沒有果實的）
鬍子是樹根
口唇是地面的裂痕
（水自此灌溉樹根）
牙齒是樹根下的卵石
臉是大地

頭是地球

這首清純、坦直、洋溢著童真之美的短詩，表露了詩人心胸中沉澱著濃厚的稚真情懷。唯有心中長駐著這麼一股明淨的清流，保存著一顆喜樂的童心，才能清晰而明確地以純樸的童言，詮釋人類多層化的走向，其思想的結構，則是網羅了時間與經歷所累積的世故。

詩人再以輕鬆的筆觸，包容著愛心，讓淺白的詩句，歌頌勤勞的美，以警惕世人，並奉告天下：「公平」與「代價」永遠是天秤上永恆不變的真理。

記得當平凡完成這首短詩，即遞予我，讓我得以先睹原稿。就在雪白的燈光下，詩稿上初草的筆跡，如飛騰的天馬，在瀰漫著詩意的方格子上馳騁。勁挺剛毅的筆力，烙印在平滑的紙面上，雕出一面凹凸多姿的詩圖。

當我讀完這首風格活潑，詩句跳躍著濃厚童謠意味的創作，心中不禁開懷暢笑：我喜悅且欣慰著，「童心」依然留存在他心中。

「有什麼高見嗎？」他誠懇卻又帶著些微挑釁性的語氣。他一向認定任何正面的批評，都有好的建設性。尤以哲理的思考，更需要靠更多人的智慧，以深入探討。

「好詩。」我讚賞他能在創作風格上，有高超的構想。以淺明簡白的詩句，闡述生命的過程，因果的程序。

「不過，還有一個疑問存在。在深秋落葉滿枯枝的景況呢？」我有意探測他在詩句與意境上的使用。

「那當作是光禿了頭的中年紳士，鼻子仍然是樹身。」他俐落風趣地捍衛著他的詩意。文字精湛的詩句，不只揚起了他藝術生命的帆，更在創作的文藝領空，展翅翱翔。

「為什麼還要加以詮釋呢？」我把心中的不解道出。

「詮釋乃為加重這首詩的重點關鍵。『貪睡的樹是沒有果實的』，以寓言童話的詩體，反映的手法，讓讀詩的人在不經意的狀況下，自然順章地去想像醒著時的眼睛；那圓圓大大的，黑溜溜得像是熟透了的黑葡萄。倘若是西方人的眼睛，也可把它比喻是綠油油的蘋果。皆是可充飢的珍貴食物。唯有沒有果實的樹，才是遺憾。天生我才必有用，不過是『大用』與『小用』的差異而已，然皆都盡了本份。假如一定非把眼睛閉起來，除了懶惰貪睡別無托辭。」他凜然以世道的眼觀心應作評述。然：依然厚道地以溫和友善的語句作疏導，讓受批判者，順著激勵的管道，樂以更正努力。

「再談下面的詩句」他意興盎然，滔滔而談：「臉是大地；大地上有花果樹木，地窪卵石，天地間的生物靈氣繞絡運行其間，在太平盛世的年代，當人們過著豐衣足食的大好日子，大地的景象，必是興旺繁盛。人們生活在一片溫煦祥和的寰宇中，好比安居在幸福安逸的堡壘裡，愉快歡悅的心情，必綻展於面部氣宇間。」把「臉孔」用來比喻「大地」，是詩人心智精細斟考的創見。

當人類在地球上，玩起毀滅性的戰爭，即使自喻為保衛地球，並維護世界和平與安全的第一強國，願以導彈防禦系統的威嚴，向全人類宣告他的承諾——揚言它的戰略能威脅及好戰者！然而；萬一天網有了疏漏的一角！畢竟人類的智慧尚未邁入周全的境界，那時候不僅地球必滅跡於宇宙中，人類亦必與它同歸於盡。

「頭是地球」；象徵人類的生存與地球的存在，是相濡以沫的。

「畫一幅臉孔」；這首既能引導兒童思考，又能啓發成年人反省的短詩，是詩人平凡的心血遺產之一。

以有限的生命，在恆古不輟的史書詩之歷程上，瀝下一點心血，為延綿文化、充實經典盡一分綿薄之力，是為文藝經營者，作古的英靈最大的安慰。

寫於二〇〇二年八月

菲華文藝界之光

自軍統之後，文藝得以復刊的八十年代至今，菲華文藝界辦過無數次規模壯觀的文藝活動。只是於任何的活動中，我總只是一名坐享其成的參與者。心中既歉疚，也的確很慚愧。此次，菲華作家協會承接下世界華文微型小說研討會第四屆的主辦權，使得我能從中見識到承擔這一份繁重底任務的個中艱辛。

籌備的過程是以年曆的進度計算，打從第三屆閉幕的那一刻，而須佈下屆主辦的所屬地區之後，我們的主辦單位，便得蓄積精力為它的光臨而勞神奔波：從籌備經費，邀請赴會各地區的作家名錄（共有六十五位知名作家），排定接機送機行程，機票處理，膳宿問題，會場佈置，以至招待細節，餘興節目等等，就算芝麻小事，或繁雜瑣碎，卻皆是件件不可疏漏的重要關鍵。而推動工作進度的力量，則是依靠每一位成員的真誠投入及熱心支持；作相互的補應。個人的力量確是微薄的，然當發揮了合作的精神，則可匯聚成一股移山倒海的巨力。

「眾志成城」的光輝史蹟，曾於一九八五年，第二屆亞洲華文作家協會假菲律濱舉行時展現過，它照射的光芒，依然閃耀在世界華文文顫上，更溫暖在菲華文藝界每一位的心中。可見體現合作的價值觀，才是一切的前提，也是一個大會成功的要素。

發揮團結的精神，合作的效力，是大會中不能缺席的靈魂，願菲律濱華文作家協會再為菲華文藝重創光輝。

寫於二〇〇二年七月二十日

緣結蔡秀雲畫室

窗明几淨，畫幅展影，墨香飄縷，真是囂嘩油煙的都市中，難得尋覓的一方雅處。曾是我走入此畫坊，心中觸覺得的舒悅感。突然驚喜，這豈不正是心靈生活裏，人們悉心追尋的淨土！

畫室落居樓高八層，開窗能任盡收納飄遊於穹蒼的雲彩。若居高瞰望，恰似登上岳陽高樓，萬里長空的岷海灣，盡收入眼簾。掠過西窗陽台上芬雅的蘭惠莖枝，那無際的海灣，波浪中俊挺的點點艦影，岸邊挺拔的椰樹連鎖起宛延的杜威大道：在蒼茫的視線中，濃縮成一框舉世聞畫，更在閃瞬的眄睨間，昂然展懸在畫室中。

如廝優美壯觀的景致，該是蘊釀書藝的靈感佳處，尤是孕育藝術心靈的桃源。豈不正是？在時間的跑道上，多少千島藝壇畫家，就曾在這裡熙攘而過，他們在這裏研墨揮筆，刻苦提煉，耐心地修習。

我偶於黃昏之前來到畫室，便適時地與夕陽相約於此。雖覺姍姍，卻是匆匆！直覺生命中的一些響往及追逐，常就在一踟的躊躇中走失，就如對傳統國畫的熱愛，對畫藝的追逐，在錯失的時光中走成陌路。然而潛藏在心中的一絲意念，使我對「美感」

的傾心，甚而對擷取「美感」底精髓的畫技，依然積存著一腔濃濃的學習慾望。就憑著這份不渝的意念，我走進蔡秀雲畫室的門闆，與蔡秀雲老師結緣於賞心的畫室中，師生之緣雖啓幕在黃昏暮色中，然那璀燦的光輝依然是我追逐的光點。

可知？蔡秀雲老師還是我的同窗，然她有不凡的天賦，高穎的聰慧。慧根再加上她的勤奮致力，儉樸求實的美德，使她不止能在國學與書法上成績優越，在書畫上的心得，更有卓越超群的成就。她不僅為個人奠定了堅固的中國文化根基，更把國粹的精華在千島上傳播發揚。十多年來她竭心盡瘁地傳授國畫的精典，孜孜不倦，桃李滿千島，為中國畫藝的承繼作了巨大的貢獻，更為醉心于國畫的海外莘莘學子，築埔了一條學習的管道。

由於我的初階臨摹功課是四君子中的「蘭」與「竹」，是以我得逞地觀賞到蔡秀雲老師示範時；挪蘭揮竹的運鋒；柔中帶剛，剛中藏柔的蘭影竹風，不止水墨濃淡的捏拿撐控恰到，柔剛處更是運行自如。這些在在展示她在修煉功課上的深奧，且書法與運筆的基礎亦有堅實的根基。曾有名傳統畫家這麼說過：「中國畫的『法』在筆墨，而其修習則在書法。」是也。

國畫雖淺看起來，幾乎是形象的描畫技藝，也可說是寫意式的揮筆繪畫，其實骨子裏，實賴書法與根基，是以卓越的書法家，運起筆來便有藝術的非凡韻致，而一位好畫家，必定是書法的行家，亦即是受肯定的書法家，因為書法與國畫乃屬於國學的同一體。這也是中國傳統國畫獨特的一格。

不久前曾幸運地在一個恰巧的時空，觀賞到蔡秀雲老師剛完成的一幅佳作：（這幅佳作一完成，即郵寄到台灣參展）；連開六尺長的巨幅墨竹，驚鴻一瞥間我幾乎被帶入真實的幻覺中，蹌然如走入一片密林竹叢中，清爽的竹味，繞迴在我依戀不捨的嗅覺中，嫩雅的筍香，和著大地青春的氣息，嫋嫋地向我撲鼻而來。

我留連在畫境的蒽徑上；自疏密有序的葉縫，再起步邁入一株株重疊的竹隙，蓬勃而散發著生氣的葉片，因一陣多情的微風，而婆娑起舞在我懭怡的心境中，我的情感走入心靈的最深處，在紮實的心扉上，與它們高吭共鳴。

在我們的心靈小屋中，不免有無從重拾的一些遺失。然而，我們卻能再在無窮盡的精神寶庫裏，為它找回補賞，把漸趨貧瘠的精神領域再填塞豐滿。繪畫是一帖心靈的靈方，它熱情地，等待在高貴的崗位上，為我們作天長地久的守望，它唯一對我們的索取，僅只是我們心中真誠的回應，一份恆久執著的熱愛而已。

蔡秀雲老師不怨不悔地揹起輔導的工作，為我們廣泛的心靈追回充實，她不吝嗇地奉獻出一生潛心研究的心得，盡心盡致地為畫藝的後繼延續而作出貢獻。她無私的心懷，感人的情操，為菲華社會多元素的文化領域，增添一頁炫耀的「中國傳統國畫」史載，為中華淵源的文化在異國的藝壇上呈出一片燦爛的天空。

寫於蔡秀雲老師畫展二〇〇二年十一月

心情小陽台的明日

新開闢的文藝小欄：「心情小陽台」：是我們順著「天時」、「地利」、「人和」等種種優惠的契機，開創出的一塊小芳土。在這僅以寸尺作測度的小天地中，卻能藉放眼而觀望到蒼穹的遼闊無限，又可憑細膩的心眼，俯瞰人煙中的街坊景色，可說是一處連繫著現實生活，又朝朝有旭日光照的溫暖地段。站在小陽台中，即能感觸到青春煥發的朝氣，而聞到了希望在呼喚的氣息。

繁殖在陽台上的每一枝嫩莖，每一朵小花，閃避得了意識風暴的吹打，更免以沾染思想的色塵，它們能任由開放的心態，隨著理想與感情而紓發；把萌生於心中的款款情懷，腦中敏銳的觸覺，以純潔率直的渠流湧出：開懷地暢談心中的歡樂、驕傲，講生活裡美好的往事回憶，甚至把深藏在心底裡道不出的懊惱、遺憾，以坦盪的角度展現在陽光下。

小陽台上，我們真能觀賞到一幅真、善、美的生活風光。

開闢小陽台，正好比把含苞的花蕾，萌芽的小枝莖移植到風和日暖，土壤肥沃的園圃中，維護看顧讓它們安穩地開花結果。不過，花圃畢竟非溫室，仍需自我奮鬥，殷勤地翻泥鬆土，竭力吸收養份，好壯碩枝幹，方能達到茂盛的境地。

在文藝版圖上騰出一欄孕育雛苗的園圃，顯然是培訓對文藝寫作愛好的青少年們，俱有實際支持力量的方針。是一段走往目標的軌道，姑不論是漫漫長途，或斷徑小道，能否就此拓擴為蔥翠的大園地？抑或中途枯凋而息！它畢竟能自耕耘的體驗中得到心得，為園林的未來基業，撒種了無盡的生機在那里。

也許，小陽台的經營，有它教我們不能沉默的功勞：想想那欄杆裡，眼不勝收的盆盆花卉，因爭妍而形成互相鼓舞，那堅韌的籬籐，圍繞攀導著滿台石的綠葉。使每一分每一寸枝葉的伸延，都有瑩晶的露珠滋潤，富裕的陽光照射。

人類的迅速繁榮，使我們因對地球的空間受迫而憂慮，高樓大廈的聳立，是人類智慧的結晶品，而那精心闢築在高空邊的小小陽台，則是人類智慧的光輝。

寫於二〇〇二年七月五日

註：願小陽台的明日，能激勵晨夢子繼續爲栽培文藝幼苗，而不斷付出。

有子若父

既改了朝換了代，我樂得把當了四十年的「家」，安安心心地脫手給媳婦掌管。滾滾紅塵中，拾得了一身清閒。

儉樸勤勞的媳婦，不祇柴米油鹽斤兩精算，對額外的開銷，亦不馬虎地條條歸納入計算機的加減法中。可是，偏還有夠讓她皺眉，又一籌莫展的困擾，擾亂著她；那就是縮不小的電費開消；一萬伍千的每月電公司賬單，確實有點駭人！然而，菲島炎熱的氣候，已把現代人的生活方式，寵上奢侈的不歸路，冷氣機的馬力，更跑成了關山萬里路上一支不歇不過的行軍。

「節流」的方案，依然不放鬆地糾葛著，最後終尋得一個不惹痛癢的良策：即晚間大夥兒一入睡，便得把所有的燈光關閉掉，一個兒絲也不保留著！騰出黑黝黝的一片夜海，難為了月亮娘娘獨撐夜空。不過，這樣一來倒真的省掉了一佰瓦特的電流，畢竟那是一份五星飯館裡的西餐費啊！

媳婦節儉的美德，贏得我心中的讚賞，雖然心中一直不能苟同，然而，也無從阻撓。

泡在冷氣室中的孫女兒，聰明精靈，額角微凸，天庭飽滿。兒子常自詡誇言道：「女兒面相酷似當今女總統，四十年後應該是菲國第三位女總統。」

我樂得有此預兆。便在旁插嘴說：「那你就必須趕緊想辦法先榮登總統寶座，好讓你女兒也該有一位總統父親。」

「不，我沒有當總統的雄心！」兒子一面不以為然的表情。

「那讓她媽做吧！總該符合先例，圖一個吉祥順利吧！」我蠻有哲理的作分析解剖。

兒子一聽我話中有支持媳婦任命總統的意向，先是錯愕一下，稍後驚恐地大嚷：「那菲律濱可慘了！晚間電流閉息的法令一頒下來，杜威大道炫爍光輝的夜燈，豈將不復可見？再來，大街小巷的路燈也逃不過此劫。黑暗的世界豈不正是亞布沙耶夫的天下！」

兒子的膽識，令我佩服。他的幽默不折不扣的夠當他老爸的兒子了。

寫於七月二〇〇二年

勇敢的鬥士

——「光的使者」殘障合唱團演唱會側記

「AMBASSADORS OF LIGHT」BLIND CHOIR

我們很難以想像，一群失去視覺的青年人，在貧窮困苦的環境中長大，他們的心胸中卻能洋溢著無可比喻的喜樂！當現實生活的擔子壓在肩上，他們卻能在另一面的精神生活裡，活出了心靈的充實！是他們生命中的毅力，創造出非凡的奇蹟，為人類潛伏的萬能，展現了生命的希望。

當我們只明瞭，他們所擁有的基本常識，祇夠爭取生活中的溫飽，所接受的知識，也祇是為謀得一技之長而已。除此之外，生存與生活就是整個人生的概括，再也別無所有；生命空白，視野黑暗，心靈冷凄。我們可差點忽視了在他們富饒的心靈田園中，擁有曠世的奇才，他們原來竟是一棵棵山谷中的奇葩！

是社會人士感人的愛心，領著他們走入春天裡的溫暖，以溫熱的掌心為他們創造了一個鳥語花香的人間，讓他們將上帝賞賜的天賦，來回饋予充滿仁慈的眾生。

當晚，上蒼作了考驗；天公不作美地下了一場滂沱大雨！然演唱會依然如期及時開幕。會場飽和著期待的熱情，沸騰在人們心中的情緒；是愛的感觸。期望與支持，是會場中震顫人心的靈魂。會眾付出時間與金錢，與莫以定價的一顆同情心蒞臨會場。當恍然而自我感恩時，卻沒有忘了伸出支援殘障不幸兒的援手。他們的愛心，尺度出人類價值的更高一層。

「光的使者」殘障合唱團員們，在風吹雨打日曬中經歷了二年嚴格投入的訓練。他們終於能熟練地把百老匯美麗的四調樂章，以他們最完美的歌喉向我們傳遞。他們唱著沉痛、無助、悲傷的命運，如低迴哀怨的「老人河」，背著歷史的不平，民族的歧視。當河中漂浮著世代辛酸的淚水，無奈地流過歷史的滄桑，任由河沙沖擊著黑人的倒影。然而；他們堅毅不屈的精神，終能勇敢地與命運抗衡，他們的奮鬥與自我奮發終於跨過了正義的地平線，為民族的尊嚴，爭取了自由與公平。而我們這些殘障的不幸兒呢？可還得為自個兒的命運，多劃出一條有喜樂的生命線來！多沉重啊！

「光的使者」這一群無從看到白雲如雪，山川如畫，綠草如茵之如此壯美的不幸兒，卻能如此激昂地為我們唱出滿山的怡人春色，在綠草如茵的山坡把仙樂似悠揚的歌聲，傳送到每一個小角落，讓大地因著愛的輸送而充滿生氣。

縱然他們的雙眼看不見鮮艷得如一滴黃金液的太陽，看不見容得馳奔的大道，就算細小得只夠穿線的針孔，或一小杯有果醬伴麵包的濃茶，它們總是這麼陌生而遙遠地與他們遙遙相隔，然而在他們的心中，卻收藏著一個有愛之溫暖的世界，因為上帝的憐憫，用慈愛照顧及扶持著他們。

誠如晚會中的歌曲：我們有明天(MAY BUKAS)，上帝帶領我們(LEAD ME LORD)，耶穌在照顧你(KANAMAY MO SI JESUS)……生命有了盼望，人生道路上看到了光明的前景，樂觀的人生參透出積極的人生觀。

演唱會一呵氣貫穿了二個時辰。台上的節目從啓幕到謝場，始終緊扣著聽眾的專注力。他們屏息靜候著欣賞，卻又不容不分心去思索舞台上每一場不可思議的演出！整齊的舞台型式排列，每一個動作的恰巧配合，默默地啓發著一份至詞無間的默契。歌聲融合，音律準確，發音詞句更清晰得教人心服！當我們知道這一群失明的歌唱者，乃開始于一無所知的樂理空白中，卻能靠記憶來克服生理上的障礙，在不算長的時間裡脫穎而出！我們因著這不可言喻的成績，因激動而湧出的眼淚，應該是一顆顆欽佩的淚珠。

歌唱會中的女高音，馬里嘉小姐(MARICA VERSOZA)，若非造物者的不公平，她應該是一位穿上綴著花邊的飄逸長裙子，在青春幻想曲裡旋轉起舞的小公主，可是她偏是坐在落寂的角落裡，面對無止境底黑暗的眼疾受苦者！幸然，她的堅強和鬥志，為自己另創了一個新的人生：歌喉的恩賜，是她航程中泛舟上緊綁著的雙槳。她甜美輕柔的歌聲；輕輕地搖過我們激情的心海，迴繞在我們盪漾著同情的腦海中。我們懇切地向上帝祈求，願上帝賜福予這位在音樂系中用功的可愛小女孩吧！

黎嘉洛先生(MR. RECARDO DELOS SANTOS)，合唱團裡傑出的男高音。一位年青小伙子，充滿著年青人的鬥志。是目前四位承接社會愛心人士，個人獨資贊助的音樂系學生之一。他以富磁性的男高音震顫了我們深藏著的惻隱之心，我們嘆息噓唏！大好的青年，偏是命運的坎坷者，人生的道路對他們是如此的不平坦啊！

我沉思在寂靜無噪的會場中，會眾屏息靜待，我則激情難抑。因我曾走過他們生活的地帶，那一環短促的探視，已足夠我把雙眶淌滿淚水。看他們在黑暗中摸索，步履卻是那麼勇敢堅強，不僅不向命運妥協屈服，反能活出生命的泉源；一股炙熱人心的警世力量，一腔振發人心的氣慨。

「光的使者」合唱團十六位優秀的團員，每位無疑的皆是一盞盞浩瀚人海中的明燈。他們要照亮同為身受者黑暗的世界，為他們指點心路上的指南，共同攜手開創人生。

「有希望的人生」；是人類集智慧期以達到的目標。唯有深涵意義的生存方式，才能帶動出有價值的人生過程，當生命顯彰了價值的典型，方能塑造有希望的一段人生。

生活在幸福中的我們，我們知恩感恩。更衷心地為那些生活在不幸中的人；他們是如此艱辛地為自己創造出生命的一些價值：而為他們喝采！如歌唱團裏的精神支柱；蔡賢銘教授（ANDERSON GO）……。

蔡賢銘教授自痛苦的深淵中奮鬥而出。從悲痛的親身經歷中深深體會到殘疾失明者身心上承受到的苦楚，更明瞭生命中所必遭遇到的一切苦難。他懇切期望著能為徬徨無助中的這一群失明者尋得生命旅途上的依靠。是以；他立志奮發圖強，克勤地把自己充實，將已所學得的智識技能奉獻出，並立志與他們並肩共同跟向命運抵抗。他於一九九六年取得音樂系學位後，即積極地從事他的心願；返回他的母校執教，在母校的懷抱中享受親情般溫馨的關愛，另一方面亦不忘不吝地把個人承受得的恩惠無限盡的奉獻出。他積極地籌備凡能開創殘障同學們的資助活動，同時辛勤地寫出了激勵的歌曲，來勉勵及安撫他們身心上蒙受的傷痛：

「仰望我主」是他的處女作。他自編自譜並導唱。歌詞表達了作曲家心中，誠懇真摯的關受及不屈不撓的勇敢精神。歌詞如下……

「假如你以為自己是孤獨的
心裡很害怕
請不要將它充作理由
世上有許多人同樣有苦難

X　X　X

請不要將自己沉淪在黑暗的角落裏

勇敢地環視你的周圍
你會看見像你一樣的人
他們照樣的生活在這個世上
X　X　X
人生就是這樣(副歌)
你要學會去面對
請不要氣餒
我們每一個人都是公平的
X　X　X
人生就是這樣(副歌)
朋友
你要學會抵抗
你不要灰心　你並不孤獨
只要仰望我主
X　X　X
請把悲傷的一切忘懷
你要面對明天

希望就在我們眼前

只要你心中有主」

這首寫自一位失明殘障青年人的短歌。不只表現出作曲家勇敢無畏的精神。更令我們感受到在他浩瀚如海洋般寬闊的胸懷中，容納了對造物者極大的寬恕之情，對朋友至切的關心之愛，更守住一顆對上帝至高的愛。

我們深深的相信，上帝會永遠護守著愛他及他所愛的人。

二〇〇二年於岷市

寬恕是愛的斗量

人類既是感情的動物，因情緒的較量所掀起的糾紛震波，便理所當然地會層出不窮地出現在司空見慣的亂世中。

我們因不能走避情緒脆弱的自卑，揮不掉猖妄在內心中的傲慢，又堅持著事端的是非，甚至爭執著成敗的利弊，便軟弱地任憑精粹的精神與美善的心靈承受壓力的煎熬。

雖然我們認定真理只有一條，而且是集智慧的精點，然而納持真理以明確立論的道理，偏有千萬條，況且每一條都俱備了仰以堅定立場的充分理由！

我們找不到終點的結局，因道理在世道不斷的變遷中無須有立足的固定地盤！

當我們陷入漫長的精神與心靈的交粹中而累了，煩心了，那麼以其拜托糾葛的解鈴人，或去苦勸繫鈴人，何不簡捷地把至高的使者：「寬恕」請出呢？它就住在距你最近的心中，等待著你晨早晚昏隨時的招喚。不須酬勞，只要以標不出價額又可任你索取的愛作支付。不過，那可要是傾您心中真誠的愛，且得以斗量出的豐盛的愛來傾注之。

我們常樂以發表驚人的提示：說：「眾人的眼睛是雪亮的！卻小看了自己的兩只智慧之窗，還有那一顆血淋淋嵌在心肌上，更能把自己看得清晰的心眼：它們總能透視及我們心中細微的污染與雜念。當我們陷入太自以為是的心態，它便會及時並忠貞地發出正義之言，以同樣的這句話向我們警誡：「眾人的眼睛是雪亮的。」因為覺察未及的過失，或自以為非錯的犯錯，一直是我們跌倒的絆腳石。

若能容許寬恕的心造訪到我們的心宅，那同樣的它會一視同仁地光顧到別人的心屋中，須知感恩與圖報一直是跟著它奔跑的。

雖然說愛不容易，寬恕更難，不過當你明瞭原來寬恕比愛所得的回應，來得更絕對，更豐滿且更敏捷時，您當樂以割愛把寬恕供出，最起碼積鬱了仇恨的心懷，已即時賺回了一片晴朗的天空。

我們只知道要靠無盡的愛心，才能造就出一座寬恕的山城來。可知，寬恕的小城必因繁榮而發展出更多更無以計量的愛的道路來嗎？

寫於二〇〇二年十月

給中正高中十九屆同學的一封信

親愛的同學：

正月廿一日是中正高中十九屆同學聯誼會成立十週年紀念日。我攜帶三個兒女，伴著丈夫前往參加。一進入大禮堂，便觸目到那一例擺佈在長桌上的級別簽名簿：七本同樣色調，同樣尺寸的簿子，按著級別的先後循序由：甲、乙、丙、丁、戊、己、庚井然地排在自己的位置上：它象徵著同學聯誼會追崇的目標是——平等與公平的。

但當我瞄視到其中的一本簽名簿時，卻只見寥寥零落的只有幾個簽名在那裏時，我心中不禁疑惑；為什麼我們十九屆的同學，卻不能以同樣的回報——不爭不究，來奉獻給我們的同學聯誼會呢？

十九屆同學聯誼會，原以平等的處事方針來進行會中事務；每一屆理事，皆公平的由各班分派出相等的名額擔任，再由名額中各班各自推薦出代表，以輪值的方式擔任每一年度的「理事長」職位，任期一年，事務則由全體理事，本著各人的恩賜分工合作完成。像這麼一個根基健全，絲毫不欲滲雜俗世爭端的純聯誼性的同學組織。照理不該有任何的遺憾發生在中間，可是，它卻是實實在在的發生了，而且已地地道道的有一群我們愛護的，才華橫溢的同窗，已離開了我們的陣容，這樁夠令人歎息的不愉快，使我內心激動的要告訴您；

生命中的失落與獲得，原只分別在一份心思而已，假如我們能勇敢豁達地把它打開，以別人的獲得，當成自己的「獲得」，有什麼差別？何況我們彼此還有一把共同擁有的萬能心鑰，它能為我們打開心靈的門戶，讓寬恕、包涵、與愛進入我們心靈的領域。

同學們，為什麼我們都那麼吝嗇地不把它打開呢？假如肯把它打開，忍讓一點，正是「進一步山窮水盡，退一步海闊天空。」

回想聯誼會這十年來的組織過程，包括了同學們多少算不清，撈不回的心血，金錢與時間，它的成長，仍靠眾多同學的不計犧牲與竭盡貢獻，但它絕不屬於個人，更不屬於某一組的人群，它是屬於凡係十九屆的每一位同學所共有。為了它的完整無缺，犧牲區區的「小我」，是當今每位同學切復豎立的精神。

自古聖賢誰無錯？何況是平庸的我們呢？若能把既往都不究，大家團結起來，中正高中十九屆同窗聯誼會，必更能發揮它雄壯的力量，不僅能功在母校，更能伸展到社會中。

大家都說：「血濃於水」。同學間雖說沒有血緣的連係，但憑著六年的同窗情誼，雖沒有血緣，卻已如親兄弟，任是何等的恩恩怨怨，都值得化解抵消。

慶典的會堂裏，燈光輝煌，那座十層的週年蛋糕，象徵著這段珍貴的歷史的存在。

十位功高勞苦的諮詢委員：吳國全（庚組）、郭英傑（甲組）、章肇寧（戊組）、洪國慶（丙組）、蔡玉平（丁組）、蔡黎明（乙組）、楊華庭（己組）、李貽秉（庚組）、林瑩鏡（甲組）、林芬樹（乙組），（即每一年度的理事長，按照組別輪值擔任），是大會的精神支柱，他們代表著七組班級的共同存在。對大會的付出，尤多於接收，但願他們能本著一貫的精神，對同窗的關懷照顧，恆久不移。

歌唱、舞蹈、短劇、抽彩獎品、美饌佳餚——都只是點綴而已。同學們久違的面孔，歡愉的談笑聲，活潑俊俏的兒女，才是我們心裏的真正渴望。

縱然我們的身影已失去當年的瀟灑苗條，梨花顏容已受風霜催殘，筆直的脊背已微曲，油亮的髮絲變成灰白，飛健的足步已換來蹣跚——但我們依舊保存著那關心同學的心，及一雙不抹色彩的雙眸。

生命多短暫，宇宙多遼闊，我們該慶幸並珍惜彼此能在這人海的一小角隅中：「中正學院」。相識、相聚。

三十週年的慶典在即，期望我們心中的癥結在時間的沖涮和治療中消失，同學們濟濟一堂的壯觀，將更能襯托同窗聯誼會組織意義的深長。

祝同學們身體健康

您的同學XX　敬上

公元一九九〇年正月卅日

快樂是什麼

快樂的定義；我依稀彷彿記得，它曾隨著我的年齡的更變，而跟著不斷地作追趕式的修正，重整及更改。從孩提時代到少女時期，從當一位媳婦做一名妻子，直到身當一個母親，它的定義，在時代，潮流的演進下，不斷地寫出新的規劃，創出簇新的概論。

孩提的時代：快樂如沙灘上的細沙，渺小然繁多，潔白得單純然易飄散，日落月出，潮來浪退，像一齣短短的卡通片，轉眼即落幕。

少女的時代，快樂如過眼雲煙，任它曾像過天上人間，廣遊海角天涯，任它曾有過灰姑娘般令人嚮往的境遇。歷盡羡人的傳奇，任它握過的幸福，夠以妒燃天下少女心，而今，也已與我陌生。

作了媳婦，「快樂」是一份需要用「代價」去兑換的「禮物」，容身在其中，欲覓得一絲快樂，必須捨棄自我，忘掉個人。

嗚呼！六十年代的中國婦女，雖遠離了故土千萬里，扮演的卻乃是傳統的角色，在鑼鼓喧天中，台上女主角的快樂，僅是點滴的：「星期天回娘家。」如此單調，可悲。

身任妻子，最大的快樂，是與我所愛及愛我的人，走在多元素的人生道路，無知得到包涵，犯錯獲得寬恕，勞躁受到忍耐，享得人性最高的境界——愛。

做了母親，快樂好比滾滾風沙，趕著來，急著去，剛停歇下步履，還來不及重溫手抱嬰孩的溫馨，他們一瞬眼可都已經個個長大了，好不容易完成了學業，還來不及舒一口氣，他們可又已各奔前程而去。

留下霧一般抓不緊的快樂，越過我們的眼簾，邁過歲月的山峰。

寫於公元一九九四年九月

成長

兒子一個月沒來信。

我寫了一封長信催促詢問原因，信尾我禁不住地酸酸加上一句：「是不是把媽媽給忘了？」

半個月後，我終於收到他的回信，一開端便這樣回覆我：「媽，假如我沒有寫信給您，即意指我一切都好！」最後一段才寫：「媽，別耽心我會把您給忘了。您是我最敬愛的母親。而且我現在已可以斷定您是我一生中最不能忘懷的婦人。」

這段話雖然是這麼悉熟而尋常，但當它們仍出現自兒子的信中時，我的感受便截然不同，它剎時像一把利刀，揮進我的心窩，震顫了我的心扉。

手中展開著信箋，腦中直覺地醒悟著：「兒子已長大！」這椿幾乎來得太早的意識，使我沉思了數個漫長的長夜。

點點算算，不能否認的，兒子已在隔離親人的異國，處在陌生的環境中，沒有依賴，自我照顧、自我選擇的生活方式中，迅速地成長！

摺起信箋，我深省我們的決定，是意味著任縱或無情？

臨走前，我到他房間。他巧站在窗前，長長的身影陪在他背後。夜已深，不知是離愁使他難入覺？還是明天那將迎接他的自由天地使他響往得難成眠？我重覆再問他：

「您可以重新作決定，走或不走？媽完全支持你的決定。」

「當然走。媽您相信我好了。」他意向依然堅定，亦依然毫不接受我的糾纏。

送他上飛機。我旋即彷若把一顆幼嫩的種子投向遙遠的天邊，只感觸到失落中有盼望，而盼望中又幾乎完全是失落。

兒子的童年，正值我們經濟非常偪促的時期，由是我們空閒的時間不多，自然的減少了我們對他的呵護。記得他常自個兒在小客廳中踏小三輪車，要不然就是獨自玩弄小匣車，一玩就有幾個小時久，或整個上下午，見到我們，他從不衝上來，就是這麼乖乖靜靜的，從來不淘氣，也不頑皮，亦總不曾吵鬧嚎哭過，甚至有一次，因發生意外，弄斷了一截小指頭，縱然如是，他還是不嚎淘大哭，只見他兩行小淚珠掛在雙頰上游走而已。更嚴重的一次，因跌倒又正巧跌伏在桌沿邊，小舌頭被斬斷了一小角端，鮮血從他嘴角淌下來，染紅了我半個衣邊，他卻仍只瞪著一雙淚眼往我看，偏是忘了該大聲嚎淘大哭。

這兩件往事，一直清晰不含糊地映在我的記憶裏，漫無止境地讓我自我愧慚及自疚，在這以後的日子裏，我經常潛藏著補償他的意向，但是……

一個星期日的下午，我們一家坐在咖啡廳裏飲咖啡，他突然向我們徵求意見：「爸媽，我想到外國讀書，好嗎？」

「為什麼？」我頭部一陣昏眩，「媽媽不夠愛護您嗎？」我懷疑我又失了職責。

「不是的，我只是不喜歡您老用那麼多心血在我身上，而我，又老使您失望。」他停了一下，唯恐我誤會他的初衷，又作出比喻的說：「好像我不喜歡去教會一樣，那位牧師使我受不了——」丈夫在旁瞄我一眼，這一眼意味著他對我的苦勸，不要太干擾兒女。

「假如你有勇氣，你大可去試試。」丈夫插口進來，截斷我與兒子的交涉。我洞悉丈夫的苦心，他一直來就耽心兒子的個性太內向，而且近乎膽怯，一個男孩子擁有這麼一種性格，實在不太樂觀。

記得小時候，難得的一次休閒，我們帶孩子們到倫禮沓海邊吹風，大家都爭著往岸邊走，只有他老是站在離一片小草坪遠的大樹邊，我牽著他，欲帶他走近堤岸，他卻揮下我的手握，站著一步不移，我問他：「為什麼不走靠海邊點，那麼美麗雄壯的夜浪，您可以摸到它們。」他卻冷冷的說：「不，我怕被吹下去，風那麼大，我怕。」這個擔憂一直癥結在我們的心中，不能釋放，這時候，他的要求出國讀書，無疑的正可作為他的一次經身鍛鍊，幾經掙扎，我只有強制以理智來接受他的動向，放棄小我地幫助他培養健全的身心。

我替他收拾行裝，他卻在旁嚷著：「媽，我自己來吧，我知道我自己需要的是什麼？」態度有點不耐煩。但後來在一次回信中，他卻這麼說：「媽，謝謝您強迫我攜帶那麼多厚寒衣來，我這時正用得著它們。這邊的雪，已積了七寸厚，這才是我渴望見到的，真正的雪。」回想他當時的模樣，我百般感慨。讓他從沒有中去體會到曾經擁有過的幸福，這份感受更能深入他的心中。

算算，飛機已飛越過西半球，兩個不同的世界，連繫著兩顆相似的心。我開始期待他的隔洋長途電話。

白晝時，我忖測那邊的夜晚，巴望他睡前會想起床前的母親，而撥來電話。而夜間，又連想到那邊的清晨，上學下課，陌生的屋子，冷冷的房間，是否會懷念起這邊的家？

像放出去的鴿子，明知牠會返窩，卻還是往天邊望。

桌上的電話機響了。聽筒那邊傳來兒子興奮的聲音：「媽，我告訴您一件好消息。我得了游泳獎狀，那是一件很可驕傲的事，您知道嗎？我會把獎狀郵寄給您們。您該向我祝賀吧！」我知道這絕對是有可能成為事實的真像。當他第一次寄來校中獎賞他的「傑出學生」獎狀那一天，我倒真的有點懷疑，懷疑得把獎狀得主名看得一清二楚後，方相信那不是幻覺，而是真實中的一件奇跡。這次，我已不再把它當成幻覺或奇跡。我相信「努力」對任何一個孩子都能產生效果，關鍵只在於什麼時候才是孩子們知道「努力」的時候。

剛開學不久，他寫信向我報告生活情況，當我得悉每個清晨他都在校中游泳池下苦工時，我全身發抖，那麼冷的天氣，天啊！他到底知道照料自己有多少？

記得我們開始欲教導他游泳的那一年，他剛三歲，但膽怯的他，卻知道怎樣去保護自己，當他看到大家都正在換泳裝時，他便知道把自己稍稍躲起來，就這麼躲了三年。當時的我，又豈能料到今日的他，已能克服一切的恐懼感。

我常自我分析：我們的日子與兒女們的天地，何重？何輕？何從？何適？讓兒女擇選自己的天地，比起我們為他裝飾得豪華的未來更能保持恆久，因為他們的選擇，是靠自我思想的成長，而我們的賜予，只是提供他們在體形方面的成長而已。

寫於一九八九年五月四日

方帽子

頂著酷熱的艷陽，我們候待在菲國際會議中心大廈前洶湧的人潮中，縱然是暑氣難耐，汗濕浹背，然心情確是安怡泰然，這僅為心中存著：「女兒的畢業典禮就在即」。念及這項醫學博士的方帽子，乃係女兒以艱辛與努力所獲取的學業冠冕，不禁豁然放下俗世的生計，樂以踩著冒熱的石板階，隨人群擠夾著人群，寸寸踽踽前進。

畢業典禮中，當女兒的名字被冠上以「博士」的稱呼正響自屹佇於講台上麥克風機時，那一霎間，有千萬種的感受，把我圍困在情緒的波瀾中，我以因激動而顫抖的雙足；帶著她走過一級一級的行階，間中覺得此刻的感受是那麼悉熟！

講台上一片光輝爛熠，燈光照耀下，我們終於看著她蹲跪下纖細的身子，承受接封，深綠色的肩襖就按披在她堅強的雙肩上。我們終於看見在她清秀的額角，頂著青穗一束，端挺筆直的方帽子。我們終於看見她伸出堅勁的一雙掌心，接過神聖的一張文憑。就在這一刻，永遠清晰在我記憶中的這一片刻，一顆母親滿足的心，裝滿在胸膛中。

畢業儀式隆重簡捷，也許因為如斯，女兒整段的求學過程，越令我覺得它顯得那麼漫長而繁重；從托兒所，預備班，幼稚園，小學，中學，大學醫學化驗實習，醫學正科，再醫學臨床實習，凡廿四年彷若一場長征，沿途總不缺地有考驗，挑戰，更需要努力與奮鬥，少女黃金般的年華，盡付諸於一份理想。

總記得那一年，女兒上小學四年級，我受學校教務處傳召，懷著滿腔疑惑，滿腹底憂慮，踏進校門。令人緬懷的琅琅書聲，迴響在耳際，教我不慎地跌落在少年的回憶中。當一眼瞥見女兒瘦削的身影走在被拉長的走廊中，她那滿臉的羞慚，讓我歉咎地激起內心深處一陣陣錐心的疼痛。沉重地睜開雙眸，模糊中祗見她短短的百褶校裙在風中抖擻……

返家途中，我一路拭不乾眼角的潮濕。

這截往事，像一盞紅燈，在女兒往後求學的行程上，常常醒目地點亮著，更在我擔負著的職責上，緊扣在我心頭。

女兒固沒有過人的聰慧，但她堅強的意志和不受動搖的信心：自我地彌補了我們所沒有賦予她的優點，為欲達到她生命中的目標，完成她夢寐以求的理想，她不惜地放棄該屬於在她底年齡裏的享受。深夜，屢見她房門縫下臥伏著一道不歇的燈光，我徘徊在門扉之外，對著爬滿星星的夜空，渴望著我的雙掌真能制住那道自大地邊緣上悄悄地昇起的黎明。

常驚駭我們帶給兒女們的童年，竟是一場「動盪」的年代！歷年來，為了配合生活上的需要，我們的居處曾連續地作十一次的遷移，與學校間的距離，也因此受累地被拉長，由是：造成了孩子們精神上很大的負擔。

回想那個時期，兒女們經常於清晨自東邊郊處的家出發，而黃昏時返抵的卻是西邊的另一處陌生的家，東遷西搬所帶來的後遺症，釀成他們很多苦惱，如學校的課業失了蹤跡，書案上，堆積如山的雜物……然任憑如是，對恆心堅韌的女兒來說，並未能匯成任何阻力。

正如畢業典禮中，該校主任對應屆畢業生的訓勉：「您們要感激上帝，因為它賜給您們聰明智慧。您們要感謝父母，因為他們給您們精神上和物質上的支持，但除了這一切，假如沒有您們自己的努力和恆心，一切還是歸於空。」

陪女兒跨出會堂，依依地留下會場裏十載同窗的情誼，任由那條條鎂光，和濃濃的歡笑，成為回憶。

微風中迎面走來三位女兒中學時代的女同學，她們在修完了學士學位後，皆已各有了美滿的歸宿，此時，放下搖籃中可愛的嬰兒，盛情地前來道賀。女兒一見她們，臉上即泛起天真無瑕的笑容，一個箭步上去，大家相擁在一起。

我抬頭展開視線，清晰的看見遠遠的空中飄遊著滿天的彩霞，遠遠的地面上矗立著巍峨的高樓大廈。

我重複地想著：

我該憂？還是該喜？

寫於女兒畢業典禮後的晚上
公元一九九四年四月八日

駕馳風雲

居住在私人住宅區裏的老老小小，都擁有一個共同的苦惱，就是「寸步難行」。打從自家門前到大街口，這一截或長或短的路程，任是怎樣拐彎，就是拐不掉。

縱使有私家車，然若自個兒不會駕馳，一樣苦惱不減。蓋司機沒有能耐能侍候得無微不至；似若三更夜五更早的出入自如，白天上工回家，回家上街，上街赴宴……類似漫漫無止境的折騰，也衹有機器人才能不被折騰得捲鋪蓋回老家。

遷進住宅區，註定了這場災難。被困多天，難免動腦子解脫，跟外子商議，賜他長期司機職，日日夜夜護送寶眷，不料官微看上不眼，反冤枉了眾人的好意：「啥，行動受控制，我還當不當一家之主？」，一氣之下，把自己駕走，將我們留困在現代化的山村裏。

此路雖不通，必另有轉彎處，不然千千萬萬條的「路」，又是怎樣被走出來的呢？自忖自己又不比司機少了一隻眼，或短了一條腿，幹麼自己不能駕馳呢？再說我很清楚我們家的司機個個腦筋比我差，他們能勝任的，我必能勝任且能勝之。載一大卡車的大道理，再與外子商議，這次是提升他當我的教練；指導我如何把一部不動的車子在大街上跑得夠威風八面。

「哎……您不要頭腦這麼笨好嗎？駕馳是您所想像的這麼簡易快捷麼？」他猛喊，道理比我的道理大聲。

人類的智囊，像井裏的泉水，您抽它它就供應不盡，是以，即使笨也有點滴之涓，我終於想到了那位聞名於世，神通廣大的魔術師祖——「金錢」，恭敬的把它請出道，順路帶領我到駕駛速成班報到。

看在錢老爺的萬能尊臉上，他們樂意捨命陪君子；定十個課程日，亦等於僅祇十個小時！誓把我苦練成器，金錢的功德無邊，至此教我口認心服。

駕馳班的教學工具，不光彩得教我悲哀，一輛落後十年的老齡汽車，意派用作一位未來駕駛能手的誕生搖籃？萬一或一旦把我創造出來，然有這麼一段「不光彩」的開國史，對我的駕駛史記，豈非有失大體？

正在思索該將如何逃過此劫？猛聽得指導員斬釘截鐵地說：「您們不能駕新汽車，什麼樣的車，該是什麼資歷的駕馳員操從，有一定的規格。」

聽說：「規格」是用來騙那些笨蛋的！此際，我身淪為受導者，就祇有被硬充作一粒笨蛋的份兒，怎樣滾也滾不出格子來的。

老爺車雖太不光彩，然而是五臟四輪俱全，只要不牽涉到新時代的玩意兒，它隨時都可挺胸挺肩跟您較量，所幸學徒們在這創業的非常時期，自顧尚且不暇，那有閒心去時摩有沒冷氣機啊，無線電，卡式機……等，能把它駕跑，就不錯了。

上第一節課

鑾有其事的，既書面講授，又實地指導：這是方向盤，這是踩油器，這是剎車器，這是馬達……燃開馬達同時踩油踏……。

早知開車原這麼簡易，打從娘胎生下來未學走路，就該先學駕車了，冤枉了每個月千把塊的司機費，且平白冤受歷代司機的霉氣，越想越痛恨自個兒怎地窩囊得糊塗了幾十年？

神氣地蹬上駕馳座，偏是淪落在滿眼紙屑殘罐的大垃圾荒場中，自歎倒霉也不過如斯。據指導員云：這仍是為「別人」所採的「安全措施」，對著肉眼珠瞧不見人蹤的人間，天地唯我獨尊，此刻不上道，尚待何時？

腳尖使勁一踩，座下四鑰欲走無方。只見顫動的馬達，衹出聲沒落力。

「您怎地忘了放鬆盤器呢？」指導員終於領教了我的機智，頗懷疑我這個萬物之靈被改造的可能性。

我終於把車開跑，且跑得夠指導員突悟原來碰上了天下第一亡命駕馳能手！

「停車！停車！」，猛來的命令，和不適時的風颱一樣，教人亂了方寸，我不自主地雙腳蹬，呀——四隻轟轟烈烈輾轉著的輪胎，硬是被我煞制住，只見兩旁激起塵埃的眾怒。

心不甘，情不願地在荒場中消耗兩個課程，應該是受惡劣環境的影響，所以手足仍然不聯系，腦眼更是支離失所，害我在二個小時的訓練之後還是不能把車子開出一條直線來……

一半的課程，如此這般地浪費掉，時光是盲目又硬心的過路客。

這次，是孤注一擲，指導員命令我把車子開上大道！盡管我揮身打抖，掌心淌汗，我畢竟還是把生死置之度外，而坦然豁出去了！

開上羅哈斯大道(ROXAS BLVD.)兩旁千車飛奔，濃煙滾滾，後面更是喇叭聲趕殺一個不停，本來就發抖的腳跟，更是震得不像樣。

「不用管他們，瞎了眼睛？看不見我們車後掛有(STUDENT DRIVER)駕駛實習生的牌子啊？」指導員欲按撫我那顆快從口腔跳出的心臟。

怪不得一輛輛打從我身邊馳過的車子，車窗裏總有高驕的眼睛向我投出睥睨的眼光！我打睹，假如不是受累于那塊撈什子的木牌，我想他們的駕駛技術，也不會比我好到那裏？

可是，我終究擺脫不了「法定」的逼迫，祇有任憑刺心的眼光和騷人的喇叭聲一路跟隨不放。

久而久之，我竟也染上了這種癮，動不動地，一見前面的車子礙了自己的路，便理直氣壯地把喇叭按一個砸爛！這種癖癮，後來讓我發現原不祇我一個人犯上而已？

這裏會駕駛的君子們，或多或少，都頂喜歡跟上這種習慣。

如今，已會開動車子，更會把喇叭響徹整個大岷區，剩下最後的二個課程：「懸橋」和「泊車」，卻使我大傷腦筋！天曉得，要把車子停在橋間，馬達既不死火，車身又不下滑，這種工夫，實有若登天，還虧教練耐性地示範了千次萬次，而我卻是一次都跟不上，嗚呼！天下最難事，莫如「懸橋」了！

另一難事，就是「泊車」硬要把一輛永遠是直行的車子，硬橫塞進被固定的隙位中，這等學問，扭歪了我的腦筋，都不會教我想通。

從創世紀到高莉總統的時代，萬項事總得有一個結束，為迅速地圖得一個完滿的結局：教練只好授我以秘密錦囊：即是「以後見橋不過，見停車位小者不泊，就行了！」

十個課程，我總算在大岷區郊外的二條大街上修完，領得合法駕駛護照，成為一名夠規格的駕駛員，可是心底裏一直嘀咕著一個疑問，究竟是我被哄了？還是我在哄別人？

第一次為外子服務，開車載他四處兜風，以報答他歷年來的恩澤，最主要的，還是想讓他明白，他已失去了向我獻殷勤的機會！而這種良機，虧還是他當初愚蠢地放棄的。

可是，車子剛開上大街……

「你怎麼闖紅燈？」他屁股未坐熱，先熱了頭咆哮：「人家的士司機(TAXI

DRIVER），說不定已有三十年的駕馳經驗，而您有啥？一頭猛跟著人家闖，您知後果是啥嗎？」

「警察都不管，您管啥？」我耍起雌威，表示我現在已是有「性格」的駕馳員。

「不是警察不管您，而是恰巧沒有警察可管您！」他張大小眼睛，四處虎視，頗有想教我嘗嘗鐵窗風味的動向。

鐵窗風味沒嘗成，倒是我們夫婦鬥了一路的口角。

等不得車子兜回家，嚷著我把車鑰匙交差，護照沒收，還我「家庭主婦」身。

抵家，打開車門，走向青草點綴的石階，依稀聽見他怏怏然地道：「怪不得古人說：『女子無才！便是德』。

寫於公元一九八四年

哀　多難的中國

近世紀來中國幾乎每隔半個世紀，便不幸遭受到一次戰爭的血洗，而每一次不管是對內的革命戰亂，或對外侵略者的抗戰，中國同胞們都能以寶貴的生命作代價，為換取國家的前途，而慨然捐軀。清末民初間，為推翻腐敗無能的滿清政朝，革命志士們轟轟烈烈的事蹟，我只在歷史的記載裏，為英勇的革命志士，灑下熱淚，中日戰爭時，我也衹有在童年裏，拾記全國同胞的愛國英勇抗日史實，對這場戰爭所犧牲了的數不清的中國子民。因他們的犧牲而贏回來了國土的完整和民族的尊嚴。在我的生命裏永遠寄以至高的敬仰。而今，僅距離四十年，又一場血洗在國土上發生，我切身觸覺到國難的哀傷，這陣痛楚，入心肌進肺腑！

哀　天安門前同胞的自相殘殺

哀　秋海棠葉上執政掌權者的獨裁

哀　中國竟有不張開眼睛作戰的軍隊

哀　國家元氣的損傷

那一個國民不渴望「國泰民安」？就因為奢求「國泰民安」，在歷史的教訓下，中國人學會了「緘默」和「忍受」，國內的人民「緘默」於四十年的「三反」「五反」，「緘默」於不公平的清算，「緘默」於沒有門兒的鬥爭，國外同胞，「忍受」於寄居的悲哀，「忍受」於有國似無國的羞恥，每一個中國人心裏都這麼以為：這場漫長的沈默和忍受，終畢會換來相當於付出的代價，然而事實給我們更血腥的教訓，就是：沉默只會助長獨裁者的更暴政。

忍耐只有使權力狂者更趨於瘋狂

希望　是需要去爭取的

自由　是需要去爭取的

民主　更是需要去爭取的

可貴的東西，沒有可以輕易自動換來的，只有靠爭取才可以獲得。中國不怕犧牲，不怕流血，中國只怕民族在沉睡，中國不在乎自我的犧牲，中國只在乎沒有醒覺的民族意志。

學運點亮了每一個中國人的心眼，民主才是國家的希望，民主的體制，才能使中國國民不再回頭掉進水深火烈裏。

北京學生的呼聲，是每一個中國人的心聲，中國國土上無辜被屠殺的愛國同胞，血淌在遠遠近近的每一個同胞心上，沸騰在同胞們的血管裏，它誓將匯成一股巨流，灌穿山岳，沖過五洲。

血，還在流，中國人的血，抹紅了中國的國土，讓中國人流血的中國人，您的名字叫什麼？

寫于公元一九八二年

我和辛墾文藝社

對寫作的執著及對文藝的興趣，是我整個學生時代到少女時期的過程，就因為這樣，辛墾文藝社的生命便和我的一段人生過程，息息相關，我伴它三十幾年，忠誠而真摯，但總愧沒能對它做出「完美」的照顧，間息的義務，斷續的接濟，對生存了三十年的辛墾文藝社而言，我只能被劃為一名過境的遠親。

在搜稿、校對、排編中磨鑽了三十年的辛墾工作者，當她們猛然舉頭，見到了您我的髮堆裡多了撮撮的白絲時，方知道該為這小生命的奔波培育作一番的登記——「紀念成立三十週年」，借此敘述它誕生的狀況，成長的過程，它的貢獻，它立足的根基，它顯耀的光輝，它帶給每位社友們的驕傲和欣慰，點點段段都辛集於社友們的心血和堅韌的創作精神，而今這位小生命，已經年壯，它以一頁一頁的成就，向我們回報。

文藝的生命是平淡的，寫作的生涯必須付出堅毅的耐力，辛墾中的每一位文藝園丁，願大家能甘於平淡地付出真誠的心血。

寫於創社三十週年公元一九八五年

少年十五二十時

三十年前，我很驚訝老一輩們，總是有那麼多說不完的往事？又奇怪怎能老不覺得倦地，向我們一直講個不停？

三十年後的今天，我才徹悟了這份感受。大凡在生命的過程中。只要您已跨過了一段路，不管這段路的年月或方向如何？它都能牽繫著您對它刻骨的懷念。因為我們所過的每一個日子，都曾投注入生命的精華在那裡，而真誠有價的東西，是往往與生命並存的，只要生命猶在，它們便永不被捨棄，或受遺忘。

往事是回憶的資本，回憶則是中年的我們，精神生活中的享受。有朝一日；當我們走在生命底末期的老年時，往事便將被我們珍視為回憶的寶藏，因為那時候，我們僅只有靠它的滋養，才能延續及充實我們的精神生活。

在這個用年、月、日、時，編織起來的人世間，我像您，他，一樣，受命走在這條劃限著從生到死的旅途上，絲毫無從選擇地被指定在日子裏，翻年越月。但我們卻能靠著自己堅硬的腳力，和清晰的眼光，選擇我們認為有價值和有意義的日子走，而我們一生的評價，也就盡操縱在這一路來的毅力和智慧，立下定論。

我蹦跳過了童年，也跑完了少年平坦的道路，雖然它們一路來沒有能轟動過街頭巷尾的史聞，或震盪人心的壯舉，但那些看起來是那麼清清淡淡的點滴，卻常在我的情緒裏，掀起萬丈波濤。縱然，我是默默的走，可不作無謂的枉費，一枝草，一點露，我畢竟是熬過心血，惓然去摘，衷心祈望付出的每一分力，能不蹧蹋生命中的每一秒時間。

我嚮往我的黃金時期，即使在這段短暫的時代中，沒有汽車保姆的童年，沒有抹著彩色，爍著鑽石光芒的少女夢，但它畢竟令我享盡了生命中最寶貴的青春年華。

一九八五年春

中年人的話

少女時代已騎著單車遠遠而去，這時進入中年的我坐在電視機前，整夜不眠，對著錄影帶中的國語連續劇深思，或者流淚。

中年：正是我童年時急欲達到的年齡，那時我小小的心中想：可以像媽媽一樣，任意購買自己喜歡的任何東西，可以自自由由出入，無人過問，更可以在偶而心情不好的情緒下，任意罵人，這有多好！現在我總算來到這個年齡了，然而，卻沒有如願以償。閒來，禁不住默默計算，真驚訝二十年是怎樣打拖過去的？想回頭去記錄這段歲月的片片段段，倒是令我心驚！更為自己能參與這場歲月的戰役，而自驕。

年月像殘兵似的撤退了，而我也在這裏失去了一大截歲月，只是鬥心未泯，常自慰還未老，至少尚滯留在青年期的末端，然而，當發覺用算盤的一夥已失蹤，眼前看到的，盡是玩電子遊戲機的一群年青人時，又由不得不向遠遠對我招手的歲月報到。

儘管千萬個不願，腳跟還是得往前移，中年的鋁門，在眼前閃閃生光，中年人的世界，由不得我不跨進去，接踵而來的，是緊緊向我擁抱的使命：養育下一代。說到「養育」及「下一代」，則困擾了我這個與兩個世界脫了節的母親。

榮幸的活了四十年，更滿足的當了三個孩子的母親，說到對這三個兒女的養育之方，則由於孩子的個性各有所異，便只有絞盡腦汁，以不同的手腕施教：

大女兒的個性，較為倔強，要說她靜麼？跟同學聊起天來，往往非把我們的電話交線人引上門來不可，要說她健談麼？對著我一整天都能不說一句話，這種情況，更使我相信，自己是落伍了，所謂「話不投機，半句多」，更使我無奈的，是她偏又生了一付不適合於女孩子的個性；外向好動，既參加了校裏的十多種課外活動，又參與教會裏的各種節目，每週日，非到日落黃昏，才興盡地陪著已支撐不住的太陽回家。

「安安，您的活動太多了吧？」看見她為這麼一連串長的活動而忙，我心裏著實不是滋味。

「媽，反正我也沒事做！」她道。

「沒事做？你可多用點時間在功課上啊！」我苦口婆心的說。

「媽，再多溫習，也考不出一百零一分的麼！」女兒用一幅迫切的表情，忠心的提醒我。

老二是男孩，可是我們的一塊寶！我們常為這塊寶應放在那裏而發愁，中國的傳統觀念，偏又在我們的腦海裏，牢不可破，由於經常提醒自己：「老了要靠這個兒子過日子。」所以望他成柱的心，加倍急切，偏偏兒子的心，跟我們的心起不了共鳴，他老爸為他講了三日三夜的道理，都抵不過桌上那缸熱帶魚，能使他集精會神。論書，他讀得最無成績，但論起讀書的時間，他比大姐小妹都來得長，一日陪課本十五個小時，我們為他請來的家庭教師，偏又萬分盡責任，功課做不完，是不放人的，只是害苦了我家的司機，長夜漫漫地作著無謂的陪讀犧牲者。眼看這樣下去，確不是長久計。一天，我把他叫到跟前，跟他談判：

「覺世，要是司機走了，看您怎麼辦了？」

「MABUTI NGA, PALAGI AKO ANG PINAGA LITAN NIYA, KASALANAN KO BA IYAN ?」(那頂好，他常常生我的氣，老師不讓我回家，難道是我的錯？)我這一問，倒引起他的滿肚牢騷。

由於我們深知要培養出一位傑出的偉人，非具備多方面的學識與技能不可，於是我們又狠心地再給他加上一節鋼琴的傳授，一連練了三年，鈔票花了一大把，到頭來卻甚麼音響也聽不到，卻只看見為他教光了半邊頭髮的鋼琴老師發青的頭。看見我身心為之憔悴，丈夫問我：

「您那個讀最多書的兒子，要不要再多請一位家庭老師幫忙？反正還有九個小時！」

小女兒今年八歲，理論可是滿大卡車，小小的心窩裏，藏了一顆比地球更大的心臟，連喝酒都比她吃飯還多的老爸，她都不放在眼裏！由於她在學校裏，書讀得光光彩彩的，常是班上的優秀生，所以我們也就常為了這個面子，禮讓她三分，小心靈中定是感到有機可乘，就常常橫行霸道起來了，每日下午放學回家後的盥洗，只要是她首先踏入洗澡間，就必定熬苦了在門外排長龍的哥哥姐姐，而她卻悠然自得地在綿綿的自來水中：輕輕起舞。

「心心，您該出來了，一個鐘頭了啊！」她老爸為恐引起公憤，說句公道話。

「爸，KA KA PASOK LANG AKO！」（我才剛剛進來！）她的聲音比甚麼都來得還壯，還直！要是她的老爸再催一句，她便威脅地喊道：「GALIT KA SA AKIN？AYAW KO NANG HUMABOL SA HONOR ULI」（你們若再生氣我，我就要放棄當優秀生了！）

所謂：「惡妻逆子，神仙難醫！」即如斯矣！

兒女常是父母的求生發動力，也是我們懦脆的生命的撐托，但我們卻常常不自覺的，為維持生命的延長，而忽略了去啓發這條發動力！

二十年來，初為桌上的飯菜而奔跑，擠不出餘心去親自照顧兒女，當生活開入軌道，事業發出轟轟之響的時候，又被繁忙劫走了母親可貴的責任。直到恍然發覺三個兒女都不能講通中國語的時候，真猛有「大勢已去也」的悔恨之意。深夜，與丈夫開小會議，共同研討如何去搶救這場已成的情勢？於是我們尋到了這個時代裏唯一的捷徑：把兒女交給「暑期海外青年回國研習團」裏，去作短期的華語訓練。一心想能利用這短促時期的訓練，作神奇快速的補救，那怕是一剎那，總多少能安下我們做父母者兩顆恍惚不定的心。

記得送別兒女的那一天，我看到候機廳中聚集著的八十多位稚真的華童，可是就是聽不到純粹以華語作交談的，這時，串串的哀愁，利利地穿過我徬徨的心，也穿過每一個無可奈何的菲華中年父母的心。

接到女兒的第一封信，倒是漢字連篇，雖然句不通，意不達，但總算有點中國兒女的氣味，畢竟強迫性的教育，還是這個新時代的良方，想到丈夫每次跟孩子交談時，總辛苦的喊道：

「講咱人話！講咱人話！」過後，仰天對著我感慨著說：

「我們生了三個番仔子」想及這句包含萬千的感言，心中倒是酸酸澀澀的。

在信上，女兒很驚奇的向我復述，研習團裏的老師一直為他們糾正「我們」與他們」語句用法，她寫著：「媽，我說「您們的國歌跟我們的國歌不同」時，老師卻糾正我應該改為「我們的國歌，跟他們的國歌不同」，媽，這是怎麼一回事？這一問，推使我去接觸我們下一代的切身問題：國籍與血緣的矛盾，我們這一代做父母的，養大了他們的軀體，生壯了他們的四肢，卻把他們遺在三叉的路口：作外國人嗎？臉孔膚色不像，做中國人麼？語言文字又不懂！我靜靜地徹底思考，再探究，我們的下一代，應何去？何從？低頭俯視我們腳下佔有的一塊僑居土，我們雖承繼了一代甚至二代的播種，又再默默地作四十餘年的耕耘，我們的腳還是紮不出根來，我們培植的幼苗，依舊是來日飄泊的浮萍……。

拆開兒子的來信，他向我詳述在該地看到的，聽到的，以及嘗到的片段，語句中盪漾著醉人的喜悅，彷如一個流浪街頭的小童，一天，猛然知道自己原有一個失去聯絡的美麗的母親！生命的光芒，照射在他久不見光的小小底世界。

在信紙上他回我講述：「媽，我們去過國父紀念館……烏來風景區……」對自己國家的認識，雖然是渺少又匆促的一瞥，但感受灌溢了他的生命，今後，即使他被任何的風浪沖擊到宇宙的任何一角落，他總知道，自己有一處可以落腳的地方祖國。

兒女回來後，家中的氣氛，顯然有了改變！錄音機播送著他們攜帶回來的錄音帶，東方情調的音律，悠揚旋轉在我這個中年人充滿中國色彩的樂園裏，但願這一幕像奇蹟一樣的奇跡，能持久而恆久……。

園中的玫瑰花，開了又謝，星星照射下打開蹣跚的大門，迎接晚歸的丈夫，看他：

帶著一路的「醉」回來，用酒編成的詩，喃喃道：

再幾滴滴
輕易就淹死了
現實
卻淹不掉
等在家門口
一張焦慮的臉

以及明天
等在銀行裏
一張到期的貸款

寫於一九八三年八月十二日

寫生拾談

離開學校之後，郊外旅行的機會，就無形中逐漸被剝削了！我思念郊外，一如我思念那遠在天涯的家鄉，我的內心劇烈地響往著。

日前，巧有一位學畫的知交，正欲邀幾位同是此道底愛好的青年朋友到郊外寫生，行前曾順便詢問我可有興趣同行？我一聽到是往郊外去，便欣然應邀。

該天，太陽倘賴在東山下，我已起身盥洗，當時我的心情猶如十年前首次參加小學畢業班的旅行，既興奮又激動，六時剛敲過，我已就畢佇在窗前，等那輪火熱的太陽掛到街邊的電燈桿端。

約定時間終於到了，難得這回竟能準時起程，大家在途中閒談著，約摸過了半個鐘頭，目的地已在望了。

……那是一個遺落在郊外的小鄉村，前前後後疏散著十餘間「里巴」草屋，屋的四週襯著蓬亂的籬巴，枯籐，或枝幹，粗且曲的老樹，地上污濕的泥土夾雜著大小參差的石塊，有一隻臃腫的母雞埋頭辛勞地搯抓著，在那裏抄出兩道淺淺的土坑，牠的身旁有兩三隻結伴成群的小雛，支支喳喳地相互追逐嘻戲，在不遠處的一棵大樹幹上，拴了一隻瘦老的水牛，一大陣倉蠅貼在牠凸出骨的尖背上，每當牠抖了一下或鞭一下細長的尾巴時，那些蒼蠅便像一大陣海雁向空中飛投上去，看得人毛髮悚然，再走幾步，有一泓不流動的溝水，也許是淤積得太久的原因，既濁又黑，溝水已近乎成泥濘的液體了！

大家迅速而有秩序地各自把攜帶來的畫具用物等搬下車，連提帶攜著，便開始獵取自己中意的景物，選擇最能逞現出「美」的角度來，即開始集精會神地工作著，置畫架啊！啊！打底稿啊調色料……等，忙得頗亦在乎，只有我閒著一雙手輕著兩邊肩，無所事事，只好東看看，西瞧瞧，打定了主意乘這機會自動上一堂切實的美術課，想想倒也不錯！

首先，我走近坐在攀籬一隅作畫的洪同學那裏，他熟練的筆尖，在潔白的紙上畫出一間草屋的輪郭來，他靜靜地畫著，我也默默地看著，可是我們身處其間的小村落可已不平靜了；傾時已招來許多好奇的居民，不斷地從四方八逕圍攏來，有光著屁股，掛著鼻涕的孩童，有赤著胸膛，捲短褲管的少年，還有披散著亂髮，卻塗上鮮血色口紅的少女與婦人，他(她)們爭著看，每一雙眼睛都蓋著一層疑惑的霧，似如把我們當一群從另一個世界裏來的不速之客，好奇地盯著，許久都不放鬆。

「噢！我們的屋子噢！哈哈！哈哈！」突然從我的右邊響出一個孩子驚訝的嚷聲，我轉頭去看看，一個差不多是八、九歲的菲童正打著手掌與高彩烈地大笑，兩排黑色的齒頭露在嘴外，小臉孔上掛著天真的笑痕。

「哦——多像啊！他一定是學校裏的畫圖老師！」另一個孩子附和著，於是周圍十餘道羨慕又敬佩的眼光聚集在洪同學泰然自若的臉上，我站在他的背後卻覺得飄飄然，也許作為他的同伴使我覺得自己也沾了一點光吧！誰知道？但我確實是感到很光榮的。

離開洪同學後，我再去探看躲在樹陰下的林藝珊，藝珊的人物畫是很有點聞名的，這時候，她正吃力地抓住三個蹲在地上玩泥的菲律濱小孩的背影，在畫板上匆匆地揮著，抹著，塗著。

「道追，道追啊！」一位穿睡衣的少婦在我們身後那間草屋唯一的窗口邊喊著，嗓子很高而且很響亮。

蹲在地上的三個孩童其中之一，轉過來問：「什麼事啊！引奶(即母親)」

「還不快回來穿褲子，要是把你的屁股都畫上去了，看你不害羞！」少婦依舊提高聲調談話，震得我的耳膜有點欲裂的現象。

四面的人大家禁不住哄然大笑起來，那個名叫「道追」的小孩子，漲紅了面，一溜煙跑掉了，藝姍的畫板，少了一個光著屁股的小孩子！

花去三個鐘頭的時間，我已把每一位同伴的畫，作一次巡迴式的觀賞，這個醜陋的村落，一透過他們的藝術筆尖，已嶄然變成一處幽緻的風景區了，那些小巧的草屋，窄窄曲曲的土徑尤教人遐思不已，我抱著好奇的心理，順著路傍的野花雜草直向前進，一意欲探悉那渺茫的盡頭，可是在青山或翠谷？

近中午時分，我失望原道返回，這時候強烈的太陽光已照射在任何一個角落裏，四周幽幽地飄來一股臭味，像是牛糞，又像雞糞，又像是人屎的混合，襲得大家的呼吸近乎被阻塞著，幾個剛正集合在一邊聊談的同學，提托起畫箱登到車上，那些還在修改的同伴，也只好無可奈何地收起畫具，歎著氣拔腳走。

一個上午的郊外寫生，就此結束，大家各有不等的收穫，但我覺得我的收穫是勝過任何一位的；我把他們所無可能畫上去的東西——整個村落——也畫上去了，不是在畫板上，而是在我活生生的記憶裏。

於岷市寫於公元一九六〇年

陽台小花園

為了這個小花園——陽台，母親跟父親究竟賭過了多少次的氣，連我也沒法可確定地指出一個數字來，記得當我們的新屋正在建築之中，母親就堅持地建議，無論如何得在看西面的那一邊牆外，伸展出一米度寬的地方，作為陽台之用。

母親生性喜愛花木，常常渴望著能有一個花園，幾棵茂密大樹以及許多盆形色各異的花草。可是，生來就忘了帶上富貴命的我們，就始終走不出木屋簡居，再加上歷年來不知怎樣地跟火神爺打上了交道，一直走著火運，洋樓花園對我們來說，就簡直如海市蜃樓了！認命的母親不再作舉天的奢望了，只好委屈地想利用一個窗口的邊沿，栽植花草，聊以自慰，現在既然是新居重築，母親就不能不為栽植的位置而操心，而陽台非但是最理想的處所而且還是甚為經濟的一舉，無怪母親始終不放棄，而寧可跟父親嘔幾天的氣，然而，父親還是一味的反對，為了這仍是災後的建築，一切都必須力求從速，怎比得人家榮貴喬遷，可以講究藝術美麗？不過，最後嘛——還是父親投降了！他終於在我們運用三寸不爛之舌，朝夕喋喋不息的話彈下屈服，我們家的西面，從此也就有了一個小小的陽台。

搬進新居之後，母親即一變成為一位植物收藏家，一連買下了十多盆的花木，開始著意地裝飾起這個小陽台來，奇奇怪怪的葉子，彎彎曲曲的枝莖，可說是奇形怪狀了，有幾盆我甚至連看都不曾看到過的，當然也就沒法可介紹出它們的名稱來！換過大小型式一律的陶盆子後，便安放在陽台三周的石圍上，看著一盆盆虛虛疏疏的幾張葉子沾在瘦枝上，竟然還無限驕然地插在泥土中，真使人眼裏不好受，頓時這個小陽台，也就變成了一個禿頭了的小花園，醜極了！

經過了一翻風風雨雨，嬌嫩的觀音竹，已長得高高大大，棵莖挺直，然卻絕不呆板，加上繁茂的梢長葉子，飄然地向四面垂散著，清風拂拂中，啊娜擺搖，實在真可迷惑欣賞者呢！千年紅也盛開了，巧小玲瓏的小花，遊戲于綠茵茵的竹葉隙間，遠遠地望去，倒令人遐想到是那一位的絕代佳人留下的點點唇紅，不禁羨慕起綠葉的艷遇非淺呢！此外，還有活潑的蝴蝶花，嫻雅的百合，靜美的含笑，艷冶的玫瑰，夜來香……等等，互為爭相盛放，尤其是壁籐葉，更是打破整個小花園中的生殖記錄，一葉接一葉地拼著命往上爬，然後抱著竹桿得意地隨風婆姿起舞，像少女的舞姿，那麼輕盈而優美，真是美不勝收！想到當初的情景，我感歎不已，想不到過去的黃毛了頭，可是現在的窈窕淑女了！

到了晚上，清涼的夜風，便夾著夜來香的芬芳，盡情地飄盪，母親又在陽台上放了兩隻安樂椅，躺在上面，剛好可以看到天上的月亮，星星和對面天主教堂屋尖上佇立著的十字架，安舒地靠臥在椅上，浴著月亮流下來的溫泉，莫可否認的，確是一回無價的享受，雖然不敢說人間天堂，但至少也是世上桃源，每晚當月亮一上空，我們四個姐弟妹即像觀看話劇以地，爭著佔位子，要是碰上了那一位心血剛來潮，也就免不了地加映一齣台下戲啦！

黃昏的時分，紅霞密鋪天毯，紅色的光灌進了小花園的每一個角落，一切都變成紅的，這個世界是一個美麗的黃昏實景——紅的天，紅的屋子，紅的教堂，以及我們這個紅得醉人的小陽台……唔！講到這裏我也快陶醉了，想到母親所付出的代價，我深深地為之而慶幸，母親的氣，究竟沒有白嘔，母親的精力和心血，總究也沒有白花，小陽台已發揮了它對我們的功價了！

寫于公元一九六〇年正月

樂志篇

儘管時代是怎樣的演進、儘管人類的生活水準已超越過一般的預算，而我還是嚮往於那種近乎隱居的幽閒生活：

我盼望著我所居住的房子，是一幢精簡的小竹樓，它佇立在幽靜的半山丘上，其四周種植著繁盛的綠竹，從針形的葉隙中望去，是青山翠谷，瀑布懸掛。晨曉時分，撇開竹簾，只見隱隱青山突出於裊裊晨霧中。驕嚴的翠谷，彷如史上仙洞，四面的美景，頗似唐時王維手下的一幅山水畫，佳不勝言。

竹樓前面，小溪縱流，沙磧、礫石浸浴其中，兩旁細柳搖曳，伏依於樓前籬笆上，當可聞視潺潺流水游送著漂泊的柳枝。小樓後面，小橋橫臥在打彎而過的溪上。樓的右邊，築一小亭，百花瓷盆相繞，且有假山魚池作伴，夜闌或凌晨，從微微的陣風中，當嗅到淡淡的清香，如「百合」又彷佛是「含笑」，令人陶醉而未能自主。小樓左邊、則為通往山下的大道，潔白淨亮的貝殼擾雜著細砂而鋪成階梯，直至草木紛亂的山下。

每當餘暉斜照著的日暮黃昏，彩霞密佈著整個天邊，這小小的家園，便被染得一片金黃，小溪中的沙磧成了金粒，橋邊的柳絲是金鍊，還有懸掛在山谷間的瀑布，也成了一匹抽不盡的金紗，而我們就正如生活在黃金的世界中，這多少總比都市中的百萬富翁整日沉醉在紅燈綠酒下，舒服得多了！

太陽逐漸滑向山下，在寂靜涼爽的翠谷中徘徊留連，迎接明月的東升，此時的心情是美喜的，留在心袛底處的印象，是夜的寧靜，而不是見華燈初上時，一位位跳向火坑者的醜態。

夜間，憩息在小亭子中，吹號古今樂器，欣賞繁星的清輝，回憶過去的美夢，計劃未來的前途，渴了；濃香的咖啡用來代替美酒，餓了；只須有甜香的桃李，人蔘木茸只是枉設，累了；休息在皎潔的月光下，指數藍天上的閃星。凌晨；登上山峰，遠瞻初陽，俯瞰人間，讓清涼的曉風沖散惺忪的睡態，用蓬勃的精神，迎接另一日的開始。

盛夏，可浴於瀑布下，弄泡花，聽流水，還有從深山谷裏傳出的回音，配合著銀鈴似的鳥語，形成了一支悅耳的大自然交響曲。

秋季中，萬物蕭條，秋風瑟瑟，落葉片片，四面環境雖是那麼淒涼，卻最感人心腸，在日旰時候，帶了畫具到假山旁寫生，把那緘默的小亭子，及嫻靜的小橋映入圖板中，加上人工的技術，應該會成為一幅名作的。當感精力已疲盡，再挽起用具伴著秋月返回所來徑。

當下著毛毛細雨天，便逗留室中，閱讀書籍或畫彩圖，自我享受，從閒靜中怡情養性，修身自愛，隔絕一切謠言，斷去可怕的譭謗，遠離陰毒的陷阱，放棄一切利害關係，罷息爭權奪勢的慾念……

於公元一九六〇年

笑

古有「一笑傾城」的笑，今則尚有「一笑值千金」的笑，可見，自古至今笑就一直擁有相當的份量，是頗有值得一敘的價額的。

以前，笑總僅是專掠美於女人而已，但如今，我認為笑也應該分讓予男士們，不是為了爭美奪麗，而是為了擁取人情味。我們不敢想像不會笑的人類，我們更不堪去設想沒有笑的人生。

最原始的笑；是情感寄于至善至美的抒達，是真情實意的流露。這時期的笑，有悅笑，媚笑等。後來漸漸地滲雜了其他因素的情感，而熏染變質，產生了所謂譏笑，恥笑，嘲笑等，於是，笑不幸地有了善與惡的區別！

笑既淪為人類情感的發洩機能，那麼我們不止在快樂時，會禁不住縱聲大笑，而且會在氣憤時悻然怒笑，悲哀時辛酸的苦笑，至此，可知笑又有了屬於悲或歡的差別了。

記得有位朋友當他疑惑于某問題，或難以回答某問題時，他總以一笑置之。朋友啊！我們又豈能料及，笑亦可當為最狡猾的問題，和最圓滑的答案呢？

我們譏笑我們的愚蠢，悅笑我們的聰慧機警，苦笑社會的複雜，人心的變更。

寫於公元一九五九年

後生

我們經常恭聽到一般老前輩們為當今的青年而憂慮感歎，他們開口若不是「後生可惡」，便是「後生可悲」！卻很少領聞過他們以讚嘆的口吻鼓勵過青年們說：「後生是可敬的！」難道青年人當真是朽木一枝而不可雕嗎？

青年人對未來往往有很大的抱負，但冷酷的現實限制了他們的發展。在理想不能達到，計劃未能完成，希望又被粉碎的時候，青年人身心上所受的創傷是深刻的，尤其是初踏入社會滿抱熱望的青年，一旦遭遇到挫折，堅強者或能再接再厲繼續掙扎，但經不起考驗底懦弱的一群，即灰心失意而消極悲觀，論罪過，實不能全歸咎于青年本身；社會的不健全和前輩的失導失勵，也是一大原因，怎能只責青年人並怨後生可悲呢？

青年人大凡是不畏懼艱難的，他們有一份不忌存亡的介念，遇大難能憑一股熱情慨然以赴，甚至肯自我犧牲，對珍貴的生命，視若糞土。或遇有值得爭取的事物，亦往往憑那股不計生死的冒險精神，力爭強奪，因而製造出聳人聽聞的事蹟。對類似的情形，身為前輩者一方面固然自歎不如，另一方面又基於自尊心的作祟；於是乎，青年人擁有的倘值得讚揚的「勇氣」，便被強暴的罪名所取代，「後生可畏」一詞便毫無遺留地抹煞了青年人勇於冒險的勇敢精神。

且說一個世紀的繼往，不能不依賴後生的簇出，一部人類歷史的繼續，更少不了後生的合作。社會的逐漸文明，科學的日趨進步，後生豈是完全無功的呢？

寫於公元一九五九年

石埕

我家門前有一個佔地十五平方公尺的大石埕，這石埕還是一九四八年新舖成的，記得第二次戰亂後的一個春天，我們舉家還鄉，那時候這個石埕還不過是一大片赤坡而已，每逢雨季，雨水混淆著赤泥，既污渾又濘滑，實寸步難移，而逢夏天或春季，經炎日晒，和風吹後，經常有一陣陣赤土沫到處飛揚，把曬在竹桿上的衣服厚厚地曚沾上一層土埃，那年秋初，父便親自到老遠的南安縣去，聘來一批石匠，也許阻於氣候日趨嚴寒的原故，直擱延至過年春季才擇日開工，那批石匠就在我家裏渡過一個漂泊的年關。

就在這一段不能算太短的年節中，其中一位青年石匠跟三伯的女兒秀娟，也就是我的第五從姐發生戀愛的事情，鬧得滿村風雨，男女自由戀愛本來在我們那個落後的封建鄉村中一向是被視為醜事的。更不得了的是跟一個異村的石匠戀愛，而偏偏三伯又是一位眼睛長在錢板上的勢利人，石匠雖窮得不致見骨，但總可看到皮啊！這頭婚事三伯是萬萬不同意的，父親為不致兄弟間太過不去，只得客氣地把那位石匠恭敬地請走，年關也來不及地把它過完了！但事情越演變得複雜，秀娟竟上吊自盡，誰也不敢肯定是羞憤逼著她走末路？抑或是那石匠教她值得為他殉情？隨秀娟喪事後，三伯母臥病不起，至明年二月中旬，當整個石埕完工後的一週，三伯母才閉目，石埕正好派用喪事，不知是這無意中的巧恰，冥冥中給這石埕帶來一片陰氣？還是為了秀娟的死，使人直覺的感到石埕不吉利？總則這個石埕就永遠被家裏的人所疏棄了！

深秋的時節，石埕常常落滿一地枯葉殘枝，當一陣秋風來，滿埕即跑著沙沙的聲音，枯葉飛騰起來，就像是一片葉浪似的，我最喜歡追這葉浪，但父親老一轉又一轉地把它掃光了，石埕又寂寞地躺在秋風裏，再讓從外面天空中飛來的葉片，一層一層地堆疊在它的懷裏。

炎熱的夏天，夜間也不見得涼快，家裏的人留在庭內爽涼，庭外的石埕很沉靜，人們把它忘了！但我可沒有，於子夜時我還是經常留戀在埕中，追搏滿埕子的螢火蟲，一隻一隻地把牠們裝進小玻璃瓶裏，帶回房去，充作油燈。

石埕，就是這樣的令我懷念，姑不論由它所遭來的一段悲劇，單說那佔地的一大塊面積，當今處在這寸土如金的城市中，更免不了教人倍加思憶，教人為之歎惜不已！

寫於公元一九五八年

項鍊

要不是鍊鉤被扭斷，說怎樣我也捨不得把這條項鍊就這樣脫下來！

記得那正是三月裏的一個大熱天氣，我從外面帶了一身汗水回家，體內熱得近乎是一炭熱烘烘的火爐，汗珠似一顆顆被烤熟的栗子直往毛孔間暴跳出來，這時候，沖一個冷水澡對我來說，就比任何事情都來得迫切和需要了！當我在卸髮夾之際，偶而不慎，把一小撮的髮根跟項脊上的鍊鉤糾作一團，雖然我小心地加以整理，卻越理越亂，越被纏得緊，加上熱燥的氣候影響了我的情緒，剎時一股血氣猛然沖進腦海；沖昏了理智，亦沖走了耐性，鍊鉤就被我意氣地扭斷了！過後確甚懊悔，更細心地欲用銅絲線紮緊它，但畢竟是無濟於事。

把鍊子依依地脫下來，這已是不能轉捩的定局了。

這條鍊子是我及笄那年，母親贈給我的唯一紀念物，鍊身不算怎樣昂貴，就是細心去欣賞它，也不過是由一小塊一小塊菱形的白金片所攏成的純白金鍊條而已，市場上隨處都能買到，如斯的廉價俗貨，照理不值得我如此這般地去珍惜它，但由於它不僅在我的生命中永遠象徵著一份崇高的母愛外，同時它還有另一段更有價值的意義存在著，所以縱然它並非是城市裏的珍物，我卻一向把它當成絕寶般珍惜，數年來沒有與它脫離過。在我的脖子上它已是一項具有歷史性的陳蹟。

說到這條項鍊在我的生命中所擁負的價值和意義，就得舊事重提……。

我出生在一個兄弟姐妹眾多的舊式家庭裏，一個女孩子……尤其是排夾在上有兄長下有幼弟的女孩子被家庭所忽視，是天經地道的事情，由於這樣，我一向把自己的存在比喻作一片殘葉；輕飄飄地，在時間及習性的陶薰和灌溉下，我幾乎喪失了自己的自尊心和自信心，直到當母親把這條項鍊輕輕地給我掛上後，並慎重地說了那兩句話，我才覺得出自己的生命並非殘葉。

母親說：「雖然妳是一個女兒，但你也是我的孩子！」

是的！我也是一個母親的孩子啊！世上那些名人，英雄……誰不是「母親」的孩子呢？同樣的是屬於「母親」的孩子，我就有著跟他們一樣的生存價值和重量，我也有著照耀世間的光和慰溫人類的熱。

項鍊：只是一件顯耀的虛榮物，誰也不會意料到它真正的價值並不在其裝飾！而人類何嘗不是呢？一個俱有外表美的人，就往往被人們忽略了他(她)們也有在其他方面的長處。

寫于公元一九五八年

音樂在于我

音樂是人類精神上的一帖良藥，是人類靈魂上的一盤佳釀，我們可以想像得到沒有音樂的人生，沒有音樂的生活，將會是怎樣的冷寂而可悲？

音樂仍是一種表現于聲律的藝術之一，是心靈的最高境界。在達到真、善與美的境界中，人類的世俗之爭，如名、利、慾等心不生，是以一副高尚的人格，一顆誠摯的愛心，唯有在音樂的境界中，方能培養萌茁，並予發揚光大。所以我們可以這麼說；音樂的創造是美的結晶，真與善的熾合。音樂的存在價值是人性的續存，愛心的不泯滅！

我加入擁正青年樂府，不祇是翼望能以個人之微能與世界諸人類共同負起完成音樂對這個時代的使命，同時是為竭盡一國民之責，為宣揚國粹而來。在這個國樂正當困陷於萎靡不振的時期中，擁正青年學社像其他各種藝術一樣，負有其對整個時代與人類的使命，並擁有其存在的價值；它不僅在以滋潤人生，美化人生，培養人性，陶冶人性，觸悟醜劣罪惡的人性歸向真善美的環境，這也就是樂府的誕生，對暮藹沉沉的菲華國樂樂壇來說，不失是一支有所振作于樂壇的力量，一股能震醒樂壇的蓬勃的朝氣。

由青年之一輩來揚奏國樂，有如把一股新的血液注入陳舊然精堪的針筒裏，既保有中國固有的藝術精華，又不因忌於革新而辱沒於時代的巨輪下，淪為渣滓。在一方面能迎接新時代的潮流，一方面基于發揚國粹為原則的動力下，擁正青年樂府常是一支融和新舊，匯合古今音樂精粹的東流，其成就不單在于藝術，且是在于國家。

蔣大總統說：「唯有團結，才有力量」，擁正青年樂府既是一組織團體，當必能團結！願我們這一群青年循著崇高的理想為藝術為國家而努力，從辛勤的研練中，榨出靈魂的佳釀，不僅自供且供及他人，不僅光大於現在且是流芳於千世萬年。

寫於公元一九五八年

聞蛙鳴有感

傍晚，下過一陣滂沱大雨，現在雨停了，污濁的溝水淤積在泥濘的土路上，街燈下沒有搖幌的人影，街上沒有撥水馳過的車輛，空間有一層突撒下的寂靜，天空像一片無波的海洋。夜不太黑黯，但我找不到星星和月亮的幽幽光輝。

推開淋濕濕的窗門，幾滴被遺棄的雨點沿窗框邊掉下來，一股凌人的寒意向我侵來。對面那片蓬勃而未曾修剪過的亂草叢裏，又傳來了沙啞的蛙鳴。粗噪的聲調盪漾在雨後發著濕氣的夜空裏，教人心煩，教人思索，思索這熟悉的音韻，像是舊夢裏的過客。

雨後的夜已不寧靜，蛙的嘶叫聲正傳播在夜風裏。

雨後的心境亂了，是夜風夾來了震人心膛的蛙鳴。

斗室裏，燈光淡淡，我獨著身子伴那映印在板壁上的隻影，窗逢中不斷地傳進來片片段段的蛙鳴，聆聽著，聆聽著，我彷佛置身在田野環繞著的鄉村中，而忘卻了四面矗立著的仍是頂天大廈和聳雲高樓。

生活在這萬花筒的都市中，耳聞的不外是千人輪流合奏的交響曲，而今在萬籟突靜的剎時間響出單調的蛙鳴，就頗似偏僻的村間夜闌中唯有的一點鬧聲。一種鄉村的氣氛彌漫著，在每一處蛙鳴播送到的角落裏。睹境生情，思前憶舊，我禁不住感慨萬千！

啊！千餘年的時光，真如流水逝波，現在蛙依舊在嘶喊，是沙啞的，粗噪的，但往時的池塘，籬笆，和遊伴已無從拾遇。

寫於公元一九六〇年

乞丐？

噯！真想不到！現在竟然連乞丐也有變相的了！也許你們所認識的，僅僅是那種衣褲破爛不堪，週身蒸發著臭氣的乞丐？但是這一類的乞丐吧？現在我們只能把它列入「下等」了！還有一種可以說屬於「上等」的。其實，這也不算是新奇了，在這個天翻地覆的世紀中，尤其是在一個人吃人昏暗社會裏。什麼都以變形，什麼都可以換相。乞丐自然也不能例外。

說到這類乞丐，倒真是名符其實的「上等上」。他們的衣著，是講究的、嶄新的、白皚皚又畢挺挺地，鞋子更是擦得簡直可以當作一面鏡子照。他們威風不可一世，足可以使你驚羨得五體投地。不比下等的乞丐，那麼齷齪！寒酸！總畏縮在人家門外，哀憐乞討，不祇阻礙了出入的交通，連空氣的流通也受了障礙。他們卻是頂大的一腳踏入門檻，就一直往內衝，氣高趾揚，威風凜凜，見了你倒像是跟你結了世代怨仇的死冤家，找你算賬來了，兇狼狼地。如果你是剛從鄉下來的土包子，你準會被嚇得逃回田裏去！他，一面指手劃足地，指東看西，剎時這一個店子，便成了充滿著犯法的罪窟！真是一文不值，這時候，即使你想把它奉送給人，恐怕人家還會敬謝不敏地，退到千里外呢！

他們都是受過教育，多少知道所謂美觀與廉恥，倘直接伸手掌，終究不好看。所以你該聰明點，識相的抓一把「消災」的鈔票，塞進他們的袋內，然後，小心翼翼地把他們送到門外，他們也就會一反常態，跟你握起手，親熱得羨煞人。不知此中之奧妙者，說不定還會誤認你們是世代的親家哩！

這類乞丐，相信諸位皆不會陌生吧！說不定，在你們的生活裏，一日就碰到好幾位。當然你們也會知道，他們是不好惹的，要是不小心惹怒了他們的肝火，嘿！在一日之內，也許你將會像賣雜貨罪似地，掛了一身的罪名！

寫於一九六一年

街

L・C街，充其實只不過是一條巷子，一條很幸運也被人們稱為「街道」的長巷子而已。不是嗎？它竟是短得那麼齷齪的，短得像一截臘腸似地，致使一輪踏足馬蹄的汽車僅需費去一分鐘的時間便可從容地打從它的頭頂尖奔至它的腳跟下，輾平它身上的每一部位——脛，腹，甚至膝蓋。如果一定要説它沒有足夠的條件可以成立為一條巷子的話，那麼唯一不夠的就是它缺少了一般巷子所擁有的特徵——喧嘩，雜亂。它是靜的，靜得幾乎有點落寂，跟一位過以矜持的少女變成人們眼中一具沒有情感的塑像一樣，又像是一處絕了人跡，斷了煙炊的荒地，足可把一個長舌婆囚成一個啞吧。

街的一邊，是一道古老的圍牆和幾棵上了年齡的古樹，另一邊是兩層建築的中等人家住宅，盡頭則豎立著一根瘦削的電燈桿，整個地看來，它攝留在人們印象裏的，是一條失去生氣的街道，一條靜得有點帶憂鬱的長巷子。

是什麼時候的？倒忘了，但人們還記得清楚那盞懸掛在電桿頂端的小燈泡，是被一群野孩子用石頭瞄擊下的，自此，這條街上唯一能發出的一點光，就這樣熄滅了，衹把幽暗留了下來，起初倒真的反而有點使人陶醉，看哪道永遠總是緘默著的古牆，永遠不會萎死的老樹，還有晚風，皓月，疏星，靜街……這些都構成羅曼蒂克底情調的因素，可是後來都很不幸地被一些小偷看上了，當作盜窟打起天下來，以後不祇情侶們再也不敢冒險去沿著古牆漫步，連住在這條街上的十多户人家也是閉門簡出的，剛要蘇醒過來的L・C街，卻又不見動靜。

跟每一條昏暗的，又伏藏著盜賊的夜街一樣，不同的是它卻也是一條埋葬活人的死街！

寫于公元一九六〇年

義山

自從我們忍痛地讓父親安息在義山上之後，我們一家人的影子就時常出現在義山之炎陽下。橫臥的圖案是靜寂的，縱立的圖案是沉重的，我們的身形為義山添了幾個縱立的圖案，與那些橫臥的圖案形成對比，使義山的靜寂中產生了些微的生氣。

這裏的乾燥使草木沒有血色，倒是紅、白的牆壁，已跟我們熟悉。

這裏的人們：多的時候，真的是喧賓奪主，靈魂也被擠得縮小，祇是那必得有哀榮的送殯行列時。少的時候呢？命運已周到地拆散了一對恩愛老夫妻，再安排了那位未亡人，帶著過去的回憶在這熱風徐徐的山原上，朝夕不懈地充當一名人數——所以在這亡人的山城中是不會太寂寞的，何況她——阿探嬸——的聲音還經常嚮徹失修的荒塚，和暮間的小草巷，她直挺挺的身影，經常臥印在新的舊的墓屋前。

※　　※　　※

當我們為無涯的懷念牽掛著蹈躂在這睡眠之山上，阿探嬸成為屢常到訪我們的新交，她的勸慰由於句句是發自受者的衷言，所以感人動聽，她常這麼自勸勸人。

「活著，已經萬萬不值了，那能再作殘身體呢？我們應該想得開，趁這幾年樂樂才是！」然而，我們還是經常聽到她震人肺腑的哭聲，然而，她依然把自己孤獨地悽守在阿探叔的墓屋中！古人有道：「知行難一」，這話的確不錯。至於她的閒談呢，由於頗常扯及許多我們料所料不到的新聞，以致常使我們不由衷地，把她當作財神似地封圍著不放；倘阿探嬸所知的，僅是限於落土者的身世，倒不為奇。令人驚奇的是她竟連尸體尚停柩在殯儀館的歸天人底遺囑，都能一一背念出！我們奇怪；她那來的這許多消息？又是誰供應的這許多線索？

縱然我們是一群很好的聽眾，阿探嬸還是轉移到另一個新墓邊去了，同時她應該也會帶去從我們這裏得悉的有關我們的瑣事吧？以後，我們又看到阿探嬸遷移了幾次陣地，反正，祗要有一群新的孝眷出現在這風熱日炎的山頭上，便免不掉她的一番變動。看看義山之麓尚餘有空地，我們可預料到阿探嬸的遷移，當還能維持一段時日，我們更可以想像得到，阿探嬸所扯談的範圍，將逐漸自墳墓的添增而擴充，逐日月而充實。

※　※　※

菲律濱的華僑義山，一向就擔負著「奢侈」的罪名。可是，費解的是凡得往義山打轉的人們，一批批地都相續著甘心共同擔起這個受指斥的十字架！你說奇嗎？其實不奇，人生沒有什麼比醫愈內咎更重要的，在這個社會中，沒有什麼比名譽更引誘人！

金錢；阿探嬸有的盡是，可恨「有錢無人錢不響」，因此，阿探叔的墓屋實在建築得頂平凡的，平凡得教人為他遺留下來的那許多金錢而可惜。假如阿探嬸沒有一顆好勝人的野心，倒也罷，偏偏她的野心卻既大且狠，看看左右遠近的墓園一座座出落得那麼堂皇巍峨，她的心裏就蠻不舒服的。為挽補殘局，於使她不惜把尚能吃幾年的生命力，都投擲在侵擋的步驟上；一面侵佔公地，一面阻擋左右鄰墓的修建工作——

「噢！你們的墓園墻不能疊得那麼高啊！這樣一來，豈不是把我們的風水全盤倒入糞坑了嗎？」阿探嬸嚷著，並搶上前把工人疊好好的土塊，動手搬下來。

「老嬸，這是我們工頭的意思，我們只能照做，妳最好去跟工頭理論才有用。」工人忍著氣，又重把土塊堆上去。

「夭壽！又不是給活人住的，用得著那麼高的圍牆，難道怕賊來偷了不成？」阿探嬸批評著，祇是沒有人肯下心接受。

※　　※　　※

不知是那個黑心肝的闊嘴鬼到善舉公所告發阿探嬸了！不然，善舉公所怎麼會得到阿探嬸侵佔公地的風聲呢？

一大清早的，就有好多人圍在阿探叔底墓屋前，嘩啦嘩啦地，吵得簡直非得請閻羅王來息事不可！

「怎麼？這麼一條窄巷難道還會有軍隊要操過啊？」阿探嬸故意諷刺。

「老嬸，這是公路，你這樣把它塞起來，總是不可以的。」公事人堅持著。

「這是義山，又不是什麼馬里刺市，難道也有什麼交通規律，過街路不依白線走難道也會罰五塊半嗎？」亞探嬸似乎也精通法律。

「但是妳所購的地是二米突四方，不能侵及公路呀！」公事人改變了攻勢。

「這義山又不是生意場，依價付貨，你們幹嗎把生意經也搬到這裏來論提算毫？」阿探嬸的學識也包羅萬象的。

「可是老嬸啊！妳這樣把路塞了，行人就不能通過呀！」公事人見硬言無效，改以軟取。

「路被塞了行人不能通過？！，他們又不一定非得從這條路經過，義山的路這麼多，他們自然會走別條路的，用不著你們為他們掛心，何況路太多了，行人反會迷失了，不是嗎？」原來阿探嬸把路塞了，為的是怕行人迷路。

公事人這時氣得漲紅了臉，聳聳肩，轉身走開了。

然而阿探嬸反而積滿了氣，唸唸道：「這些人無理取鬧，跟他們鬥口，老身又要折了幾年歲壽。」

寫于一九六四年

愛與恨

月已落，星已沉，長天是一片的陰黯，涼風淒涼地趕著，把海浪捲起了千丈的濺花，岩石嗚咽地飲泣，是為這交纏的感情而嗬號，那是愛抑或是恨呢？在那落寞了的沉默海岸上，托腮默想。

唔……愛與恨，那是一團糾葛的感情，像天空中的太陽與月亮，在自然的循環軌跡中，微妙地燃燒著恨的火焰，默默地傳佈著，又像河中的魚與水，在生活的供需中，珍藏著愛的光芒，光耀地映照著。愛與恨的交織是人性真情的流露（其實人性的流播也唯有愛與恨兩種元素）。而進行的旅程是循環的，在形式上雖然是隔離在兩個絕對相反的境界中，但他們的本質卻是滲雜在一起，連繫在一條線的兩端，在恨的外面包裹著愛的薄膜，在愛的核心中隱植了恨的嫩芽，當愛的薄膜被繫破的時候，便像一位後娘脱去了假面具，赤裸地暴露出恨的醜陋，另一面，當恨的嫩芽枯萎了，那愛的真情便自然地表露出來，這不需要外來的指示與強暴的脅涉，它自動的會毫無聲息地出現於人心中。

愛與恨是一個空幻的東西，你沒法説出它的來源，也沒法道出它的去處，祇知道當它留存在你心中的一刹那間。在未經作用的時候，比空氣的重量還要輕，當作用生效的時候，卻是比高山上的大石頭要來得重，使你苦悶、煩惱、不安。像鬼魔般死纏著你的身心，那時候你將脫不掉也花不了，因為這是慾的渴求，就如一杯乾燥的黃土正需要著水份的滋潤般，但如果這渴求到達高峰的當兒，你必將願為你所愛的人而犧牲一切，同樣，也甘願為了所憎恨的人而與他(她)同歸于盡。這是無可思議的事！

更進一步，我們可用一面明暗的鏡子的比喻區別愛與恨的差異，明就像是愛，是和善的、神聖的、光明正大的。暗就如恨，是陰險、醜惡的、偷偷摸摸的，黑暗的逝去便是黎明的來臨，黎明愈是光耀，黑暗也愈為沉默，愛之越深，那麼恨之也越沉，這是常理，無可避免的，也是愛與恨間的奇妙與特徵。

沿岸邊的海潮依舊沖擊著岩石，大海中的驚濤駭浪依舊猛兇奔馳，但這時候一輪皓月已斜掛在碧澄的長空中，薄雲疏籠著稀散的閃星，清風自海面徐徐吹來，馬尼拉海灣已一改白天那股鬱懊的氣息而涼爽恬靜了。

稿于一九六〇年夏

我與宗教

年青時，我一向不重視宗教，也從來不曾去考慮過，是否該為自己選擇一種信仰？因為我老認為無論任何宗教，總在勸人為善的前提下，附帶著約束我們生活行動，及思想領域。那些教規及教理，也約束了我們的思想範圍，把自己美好的一生圍困在一個格子裏，我們既有幸生為人類，我認為我們便該享有策劃自己一切的權利，不僅是物質方面的生活，也連帶精神上的生活。

然而，我們一生所走的道路，卻未能盡然按照自己的思想而行。外界的影響力，所處環境的不同，以及意志力是否堅強？常決定了我們的一生。

有云：「生命是一片汪洋。」那我們每一個人，正恰似汪洋中的一隻船。在汪洋中憑理想，靠意志，找尋生命的方向……

在我的記憶裏，我們家的日子過得很繁忙，記得除了為每日的生活起居而操作外，好似「祭敬」是我們生活中不可少缺的要事，在家裏每個月中就有固定的祭敬日子，如初一、十五的觀音辰，初二、十六的土地公辰，單只這二尊神佛的固定奉敬：「三牲五果」、「生花醇酒」，就得忙好一陣，且花了不少的費用，更不用說每個月所燒掉的那厚厚的一大摺價與批索有得比的「陰銀」了。每當看著用汗水得來的金錢，換作銀紙白白燒掉後，心中常有一陣莫明其妙的感覺，假如那真的能是陰陽間的一種套匯，也匯得太「無價」了。除此之外，我們還嫌少似的，向外尋覓，無論是佇立在偏街或僻巷的「神明」，便不辭辛勞地奔波前往，以期作長期香客。我們深信：能有機緣多奉敬一處神明，畢生將得來更多的保佑，若能旦夕有神明陪伴在側，那一生路途必平安順利。每天帶著三牲五果上香許願後，心靈確實頓感無限欣慰，深信今後生命無礙，財源無阻。然而，這種感覺卻屢屢未能維持過久，另一種憂慮卻會接踵著在我的潛意識中產生：「別忘了您許下的願！別遺漏了我們的祭祀！」有若一道帶威脅的刃光，使我無處逃遁，如斯情境，肉體的疲勞不計，精神上的糾纏，便永無休止……

我在這樣的家庭中，折磨了十八年，仍然領會不出其中道理。

記得，曾傍聽過幾次由皈依弟子所主持的講經課，對一般佛教徒力求來生，講究輪迴，樂善好施的想法和作為，他們認為今生所做的一切功德，能為來生種果，而今生所受的一切苦痛，則不過是為來世贖罪愆，行善施德，既能贖來生又能補前世。而我則認為「行善」，是本著人性的發揚，而「好施」妳能迅速的在今生中看到效果無須等待來世。

我是一個既不緬懷前世，亦不奢望來生的人，我只重視今生，我欲望在今生中所付出的一切努力，在現世的日子裏收到代價，同樣的，在今生所有的過犯，也願在生命的期限裏接受制裁。只有這樣，我方能有勇氣和毅力步上前面的人生旅途。

在飽受精神擾煩及身心疲憊之下，尋找精神及肉體上的解脫，是我年青的生命所呼喚的。宗教的色彩，已漸漸在我的生活中淡褪，我嚮往沒有宗教意味的日子。

我像划著一葉輕舟，漫游在汪洋中，沒有使命，也沒有目標，有太多的自由任我享受，有朝不完的方向任我轉舵。然而，像駕著沒有靠岸的旅航，卻又使我感到徬徨，於是，我開始尋找是不是還有另一邊屬於我的靠岸？

在中學時代，因肆業於崇尚自由極高的學府，故同學們有絕對的自由去選擇自己的信仰，而我也在此期間中，有機緣接觸到不同宗教的信仰者，特別是基督教的同學，更由於我家是擁居在一個住户複雜的大胡同裏，左右芳鄰中也有不少是基督徒，校裏校外的接觸，旦夕長期的相處，使我發覺他們朝夕致力招募新教友的靈工，卻忽略了自身良好的見證，正所謂「欲速不達」是也。

當愛情走入我的心中，它所附帶的一切條件，我便毫無斟酌的接受，深知要使愛情永固，要維護婚姻美滿，家庭中宗教的統一，是基本條件之一。於是，我放棄了尋求理想宗教的自由選擇權，為家庭的和諧，開始以「慕道友」的身份進入基督徒的陣營裏。

這期間，我的心靈常彷似一處戰地；當愛情與理智，理智又和感情交鋒時……

十字架下，不為信仰而信仰的我，步伐蹣跚，心境沉沉，凡見到每一張笑著的臉，便彷若同時聽到他們在高喊著聲音：

「感謝主，我們又得了一位會友。哈利路呀，哈利路呀！」

上完一次主日崇拜會後，我學會了一個基督徒該學會的祈禱。

正如俗語所云：「不入虎穴，焉得虎子？」我毅然投入基督徒的陣營裏，使我無意中，尋獲到了真正能使我身心坦然的宗教信仰。因為：

基督教例行的簡單教儀式，並著重信心生活，正是我所推崇的理想宗教，基督教的教理，亦即是上帝的律法，更是我無可辨駁的教條。

我們生活在這個謀生競爭的商業社會中，為求三餐齊備，已夠我們精疲力盡，實無多餘的閒暇，去兼顧不能直接或確實能幫助我們底生計的宗教祈求，簡單的宗教儀式，非但能避免作無謂的金錢浪費，且能不損身心。

曾有知友，因知我已是一基督徒，便以諷刺的問題問我：

「您們的上帝說：『只要信祂，就不會下地獄！』太豈有此理！」

聖經上記載著上帝說的話：「我是真理，我是活命，我是道路。」上帝更說：「凡信我的就得救。」能得救！即不致於「下地獄」。

真的是否有地獄？我不敢下斷論，因我至今尚不曾碰見過一個從地獄裏返回人間的人。我以為所謂「地獄」，祇代表一個名詞，它意寓「沉淪」，用「地獄」來表示

「沉淪」，是最恰當的字彙。

上帝說：「凡信我的就得救！」正是與「凡信我的，就不會沉淪。」同意旨。因為上帝將自己比喻作世人的父親，即所謂的「天父」，假如我們一個身為人子的，能一生遵照父親的教誨去做，也就是說一生遵行上帝的律法，我相信我們必定不會沉淪於世途，此即是上帝所下的預言「信我的得救。」這也就是人生一條不變的道理——即真理。

人生的旅途，總有坎坷不平的時候，跌倒或入歧途，是人生常事，假如因為這不幸，而斷送了一個人一生剩餘的生命，則是浪費生命。上帝愛世人，祂萬分珍惜我們的生命，即使僅剩餘了短暫的片刻，他還是不懈怠地，分分秒秒以「悔改」，來鼓勵我們重新萌生求生的勇氣，並以「赦罪」，來幫助我們解脫心理上的癥結，使我們能絕對的活得踏實，真的能活得理直氣壯，正氣高揚。

能使我們的生命從黑暗中，重見光芒，能使我們的生命，自枯萎中再生苗成長，祇有耶穌基督的福音，亦即是準備有信心的生命，才是活的生命。

我每次在吟唱聖詩時，詩中的句句箴言，真仍如條條大道，排在我的眼前。因詩中規誡的言詞，安慰的語句，鼓勵的詞藻，不斷的推動著我對生活的活力，就正如聖經中不斷的在向您承諾：上帝將不斷的賜予您生命的活力！「信心」。

說我信奉基督教，不如說我仰慕基督教所傳揚的教理，以及上帝所嚴列的律法更正確。

假如我們能將基督的精神「憐憫、恩典、慈愛、真誠，」作生命的枝葉，再以「信心」作根基，那我們的生命，將能對整個人類有所貢獻。

姑不論教徒的是是非非，也不談教徒們的人格、行為等問題，而祇針對宗教本身的看法，各人見仁見智，無可厚非，我認為只要我們所信仰的宗教，能幫助我們有勇氣面對坎坷的人生旅途；抱著快樂的人生觀，能啓發我們認識真理；正確地分辨是非。能幫助我們建立堅固的信心；以創造美好的未來，並規勸我們該以積極的方法、付出愛心，那宗教的價值即已存在。

生命除需靠物質來養飼以外，還需要精神方面的滋潤，才能培養出健康璀爛的生命。有人靠嗜好及娛樂來灌輸，祇是總不能比灌輸宗教的信仰來得恆久。

一九八四年七月十五日

後　記：宰主社友讀過這篇初稿後，糾正我對佛教錯誤的認識，她說我所知道的佛教，祇不過是統的宗教而已，根本就不是純正的佛教。是的，不錯，但我們所處的這個華僑社會，一般華僑子弟，像我、像您，所能知道及所認識的佛教，可就只限於這些了。

雨

酷熱的暑日，總比滂沱大雨的雨天好！

在城市伴著馬路長大的我，就是說不出「雨」的好處來，倒由於它滲雜在我的生活中所造成的很多不愉快，才真的使我想寫出來數落它。

天一下雨，我總會不其然地埋怨：「討厭！又下雨了！」可從來不會興高彩烈地歡呼：「好啊！天下雨了！」可想像得到，我對「雨」的觀感，多惡劣。不管是小雨或暴雨、春雨或秋雨，任何細細的密雨，綿綿的雨絲，都勾不起我對它的美感。

在我平庸的世界裏，我把「雨」列入最為不受歡迎的來客，甚至它還被我評為不識時務的莽撞漢，因它常在我有求於它的緊要關頭，避而不見，卻偏是我在唯恐它會突然降臨的千鈞一刻，卻帶著霹靂雷聲地現身在我跟前，它的德行，教我忍無可忍。我國有句成語：「屋漏偏逢連夜雨。」看起來，不只是我個人對「雨」有偏激的成見吧？

細雨最惱人！童年時代，它就老是我們大夥兒共同的對敵，它在的時候，雖然是那麼沉靜地懸擱在那兒，卻是帶著不可抵禦的威力，肆意地毀了我們的陣地——街巷，雖說它鬧不出恐慌的水災，連最起碼的漲水都無能為力，但它卻藏有破壞性的威脅！它的能耐，雖然只局限在弄濕大路小街，或猖獗地攪糊滿街的泥濘，但它卻帶著能將我們困惑的危機！

對它：這微少然可畏的小雨，我只能在無可奈何中，記恨牢牢。伏在窗前，看細雨飛飄，跌在屋簷上，聞不到聲響，打在地面，潑不起泡沫，它的來，它的去，只是宇宙中一段短短的旅遊而已。

大雨的日子苦悶透了！

它一來總是流連不去，催也催不走，趕也趕不掉，它就是這樣厚面皮地一留數天，還膽大地常自作主張把人們的生活秩序翻弄混亂；像把約會給延遲了，行程告取消，泡光的逛街，煙消的小吃——這些夠令人消魂的生活樂趣，都因為它的來臨而蕩然無存！

對這種絲毫沒保留一點情面的大雨，我們為它所付出的一切，都算是白白犧牲掉了！

想起昨晚舉行不了露天酒會！

這個星期日取消的旅行！

還有那因它而延了兩次的會友聚餐——皆皆因它而告吹，心中對它的抱怨，更是有增無減啊！

暴雨來的剎那，跟一位瘋狂了的亡命徒一樣，心中懷著報復的仇恨，兇惡地想毀滅了這個世界；山也好，樹木也一樣，有生命的人類，抑或無生命的建築物，它是存有把一切揉碎掃盡的惡意。

由於它一向帶有嚴重的危險性，人們只好對它遠避三分，而從不作硬碰打算，我的外子就是這樣的：

「昨晚那麼大的暴雨，你為什麼沒有回家？」我常有這種疑惑的問題。

「那麼大的暴雨？我能回家嗎？」他告訴我暴雨的禍害。

「那你最好不要回家好了！」也許我真的萎縮在暴雨的惡掌下。

「還好，暴雨停了，當然得回家！」他說出世人公認的理由。

嗨！嗨！暴雨竟侵犯到人們的家庭中來了，我們的私生活已受騷擾無餘！

雨的伙伴；小雨、大雨、風雨、暴雨——這群不可理喻的惡棍，它干涉及的範圍，已幾乎無孔不入。

寫於雨季一九八八年

他堅強地走在黑暗中

——寫一位我崇敬的青年，鋼琴聲樂教授兼愛心大使蔡賢銘教授

他堅強地走在黑暗中，不僅將自己黑暗的世界燃光了——更為一群摸索在黑暗中的殘障失明者創造了一個光明的明天。

如今，他們的世界非但已不再是恐寂的一片黝黑，且已是一處迴盪著柔美音律的音樂之鄉：「光的使者盲人合唱團」(AMBASSADOR OF LIGHT)是蔡賢銘自身飽受痛苦的體會中，對同為身受者發出的一股愛心。以雙重的辛苦，雙倍的努力作出實際的幫助，以期讓他們即使在殘酷的命運裡、冷冰的環境中，亦能感受到人間的一絲溫暖，歡樂與希望。

面對一群缺乏音詣樂理知識，不曾有過聲樂培訓的失明者，甚至在貧苦的環境中尚且須為生活而掙扎的一群不幸兒，蔡賢銘面臨的挑戰可說是雙重的，然他本著一份愛心，堅毅的意志，務必要把他們帶到「愛」的懷抱中，為他們開闢出一條光明的道路。

當蔡賢銘坐在鋼琴邊，以血肉的指尖觸按每一只琴鍵；隨即聆聽到柔美的歌聲，他的心中充滿了安慰。因為他知道人類心中洋溢著的愛，將在歌聲的傳頌中，灑落到每一個小角落裡，它們會萌芽，會在廣大的「有情人間」得到擴播。

計順市基督教銀禧堂，於十月二十一日主日崇拜會中。上帝藉著會友的愛心，伸出慈愛的聖手，牽引這一群掌中沁汗心裡徬徨的青年男女來到它的聖殿中……當優美的歌聲，打自一顆顆無助的心扉發出愛的氣息，感動的熱淚，晶瑩地閃亮了會友們包裝著的愛心。而蔡賢銘的個人見證，更震撼人心。人們靜默且專注地將它一一傾注入心的深處：

「我患上了先天性的青光眼疾，然上帝因憐憫而賜予我一對偉大的父母，在他們無微不至的照顧及疼愛中，我的生命得到成長，且輔導我在身心的發育中得到平衡的長進。我的視覺在八歲那一年終於全然失明。在這八年中，父母為我遍尋名醫，為我動過九次眼疾手術，進過無數次的醫院，為我熬夜陪我哭泣地走過這段漫漫又憂傷的痛苦日子。至今他們猶然不曾氣餒或放棄任何能為我延醫的機會。另方面他們則積極地為我開闢另一條人生道路；為我請來鋼琴的啓蒙老師；斐・烏仁拉瑩夫人(MR. FE. ORIENDAIN)，藉此引導我走向音樂的領域，並啓發我對音樂的興趣，發挖我潛能的音樂細胞。

在我半盲的這段過程，我進的學校是一般正常人學習的機構。所以可以說，我的學習過程比一般人更艱難更辛苦也更漫長。我不但要趕完正常學校的課業，正規學分，且非得去學會盲人課程的「手摸語言」法。我清楚的知道；這是唯一的，能在我未知數的「未來」，充當我續以吸收課本中高深廣泛的知識及傳遞我的思想的一條康莊大道。

父母的愛護關照一直是我精神最大的支柱。母親為我的眼疾，打齋、誦經、膜拜、燒香，本性樂善好施的她，更把救濟施捨，做成生活的重點，我的三位弟妹，也為我付出頗多，使我在日常生活中毫無欠缺。然而，當我面對人生的問題，我心中依然有恐懼感，甚至感到莫明的空虛落寂。直到我接受了上帝做我一生的救主，心中才有了平安與喜樂。因為它對世人承諾的愛，是永恆而不會改變的。人類的愛或會更改，唯獨上帝的愛才能恆久不變，這對身心軟弱的我，是何等的寶貴。我於一九九五年洗禮，歸入祂的名下，做一位基督徒。我的生命從此得到改變，積極進取的意志，使我對自身更有信心，而這股毅力聚集成了愛的力量。尤其對身同遭受的殘障失明者，常寄以無限的同情。我竭盡所能地要把我獲得的，予他們分享，而我的父母亦給我毫無阻礙的支持，他們對我的愛，已擴展到其餘的人群，正是『幼吾幼以及人之幼』的境界，他們的愛更是達到蒼天。他們鼓勵我將學得的回饋給社會。尤其是貢獻給十分需要我扶持的殘障失明者。

感謝上帝，為我施下這麼豐盛的恩典，阿門。」

※　※　※

蔡賢銘于一九六九年出生。父親蔡奇揚，母親洪雪玉。有兩位弟弟，一位妹妹。在嬰兒時即發現患有先天性眼疾。雖在創業百般艱辛的時期，父母乃不計代價不惜辛勞地為他奔波就醫。然而醫學雖昌明，醫術雖日進千里。對蔡賢銘的眼疾仍然束手無策。父親因不忍心愛兒失去視力成為不幸的盲者；數年來集精鑽研醫學書籍，欲博取中西醫療秘笈，豐碩的醫學知識幾成一家。而母親一生樂善好施，望以拯救眾生的宏量功德，得以化解愛兒的厄運。可是，蒼天悠悠，可憐，可敬天下父母心。

他四歲進入聖彼得書院(ST. PETER A POSPH S SCHOOL)，由因視覺漸趨于模糊的半盲情況，在學校裡的活動，唯有依賴弟妹們的照顧。在聖彼得書院的遊樂場，休息的鈴聲響後，總會目觸到一位清秀的小男孩手牽著一位個子瘦小的小哥哥，一同站在遊樂場邊；觀聽場中同學們的嘻笑聲：校園裡這幕手足情深的感人生活圖面，歷過二十多年時光的洗煉，卻依然震撼著聖彼得書院裡教師與同學們的心弦，記憶中永遠浮映著這段不褪色的感人的往事。

八歲那年：視覺全盲的蔡賢銘只上到小學五年級，因學習進度困難，祇好在乖戾底命運的驅遂下轉入菲律濱國家盲人學校，繼續未竟的小學學業。

他心中百般悲傷痛苦，萬念俱灰，連他喜愛的鋼琴也荒廢了！不只脾氣顯得暴燥且傾於蠻橫無理，然而家人在這時期中對他無盡的寬恕，容忍，包涵以至那無限量為他輸出的愛心，終於感動了他。

在諸多愛心的承受中，使他醒悟了自身的價值與人生的意義，他堅強地毅然接受臨到他生命中的不幸——「失明」，坦然地勇敢面對現實，並規劃著如何接受排在他眼前的挑戰——「黑暗」。努力學習他必須掌握得牢牢的「手摸語法」；那生疏而崎嶇的「文字」；將是他坎坷的人生旅途上的列車啊！雖是容身在中學繁重的新課本上奮發圖強的他，更在新的環境中不斷追求新的層次，而投入正規的鋼琴課程，在鋼琴教授如絲、夏蘭禮絲夫人(PROFESSOR LUCY HENANDEZ)的悉心指導下，綜雜深奧的樂章，在他如行雲流水的指尖下，跳躍飛揚，奔騰萬里。琴聲或激昂，或宏亮，似柔情萬千，又似綿綿情意，它們皆牢牢地緊摟著人們跳動的心臟。澎湃在人們湧勝的心湖中。

這是人類奇蹟中的一件奇蹟！畢竟堅毅的意志，不屈不撓的奮鬥精神是人類掌心中一把萬能的金鑰，而：蔡賢銘掌握了它。

一九八六年，他又兼修正規的聲學課程。教授亞羅拉商，麗藝夫人 PROFESSOR ADONACION REYES 嚴威咄咄的教學方針下，苦苦訓練，為獎勵他的學習精神，教授推薦他參加由盲人基金會每年主持的歌唱比賽。贏得該年度假菲濱會議中心舉行的「ANG HIMIG NATIN」個人獨唱比賽獎第二名。更在母親的愛心鼓勵下，他也同時參加由華社一群愛好音樂人士，假「真好味餐館」舉辦的歌唱比賽，雖然因係殘障而告落選，然而他並不傷心而放棄似錦的前途。「音樂」依然是他茫茫人生大海中的燈塔。

八年的光陰完成中學課程，緊握在蔡賢銘手掌上的一紙文憑，使他信心更堅固，終於考入菲律濱女子大學音樂系兼修鋼琴主科（PHILIPPINE WOMEN, S UNIVERSITY WITH BACHELOR DEGREE IN MUSIC MAJOR IN VOICE & MUSIC TEACHERS DIPLOMA MAJOR IN PIANO），該校馳名聲學教授斐里巴・番舍夫人（PROFESSOR FELIPA FRACIA）授予他非凡的學分。鋼琴教授梅順西蘇・亞描里惹夫人（PROESSOR BUENSUCESO. ABADILLA）更賜予他至高的評價；以一位患有眼疾而失明的殘障者，擠身在一所身心健康沒有任何殘缺的學生中而能脫穎而出，不僅獲得班上傑出學生獎，且因畢業成績卓越，而得到該校最高主管所頒發的獎狀。他：更成為菲律濱女子大學建校以來，首位殘障盲目男高音畢業生：這一項項的榮譽及獎狀，得來何等的艱辛不易，令人尊崇敬佩！

九年的大學生涯，有淚與汗的鍛鍊，有溫暖人情的鼓舞，雖是在無窮的黑暗中摸索，但人們向他表達的愛心，一直照亮著他的心眼。

一九九六年三月十七日，他假美菲人壽保險公司音樂廳，舉行個人音樂演唱會，由資深鋼琴家；黎牙拉洛・扶西教授（PROFESSOR REGALADO JOSE），為他伴奏。十七首不同地域的名曲（西班牙、英、法、意、菲、中國與德），由他渾厚的男高音聲，唱出每一曲內涵的感情與經典。演唱會後熾熱的掌聲，不只使他激情感動，更是建立起他莫大信心的肯定。于是，蔡賢銘邁出實現他底理想的第一步，返回曾經扶持他的菲律濱國家盲人學校執教（PHILIPPINE NATIONAL SCHOOL FOR THE BLIND），母校是他知識的再生父母，母校裡的同學與他身同遭受，哀傷同感，他無時無刻不為他們的未來而憂心。

遂一地發掘及培養他們的音樂興趣，歌唱天賦與舞蹈技能。為他們訓練出一組合唱團，並作出實際的歌唱表演：「發自心中的愛」(STRAIGHT FROM THE HEART WITH LOVE)，是一部男女四聲合唱聖誕歌曲，於一九九八年十二月假馬加智音樂廳作首次處女獻唱，蔡賢銘不但自編寫樂譜、自彈，更親自指導他們，悠揚的歌聲，清晰的辭句令人悅心舒耳。越年一九九九年聖誕節，邀請聞名于菲律濱藝術娛樂界的舞台指導大師；麥・亞拉那先生(MR. MARK RANAL)殊榮的合作，兩場聖誕舞台劇：「永恆的光」，(EVERLASTING LIGTH)成功的演出，中菲社會人士的諸多高度評價，正是他的理想達至成功的響亮掌聲。

令他更興奮感動的，是他們的合唱團：「光的使者」榮幸地獲得參加中正學院高中二十屆級友聯誼會，慶祝新居職員就職典禮的邀請。節目籌備會委員之一的卸任理事長吳滿滿女士的愛心關顧。對殘障者的竭力扶持，其仁心仁風的品格，不祇樹立學風典範，更首創主流社會融入僑校的盛舉。

十一月二十三及四日菲律濱華文教育研究中心，假菲律濱文化中心(CCP)慶祝成立十周年文藝晚會，演出「茉莉飄香」綜藝歌舞節目，承節目核心指導人黃紅年女士的栽培安排，推薦擔任諸多高層次的節目之一：指導一組由十一位在學大學男女生合唱的四聲聯唱節目(MEDLEY OF SONGS)。歌頌天倫之愛的四首名歌：兒子(ANAK)，母親我愛你。爸爸我愛你。大愛。晚會中唱出濃濃的天倫之愛；歌曲牽動聽眾的心情，引得會場中不少觀眾為之淚濕。

社會人士不斷地給予他發揮才能的機會，誠是造就他實現心中理想的一股大力量，目前蔡賢銘已設立了以教授鋼琴基本課以及聲學基礎的藝術中心(ANDERSON GO CENTER INC.)。此外，除任教於其母校(菲律濱女子大學)音樂系外，同時擔任亞洲太平洋殘障會(ASIA PACIFIC WATAPOSHI MUSIC FESTIVAL)菲律濱地區的負責人一職。該會于一九七五年在日本成立。地區會員包括：日本、星加坡、韓國、上海、泰國、台灣。每兩年輪值在各地區舉行交誼砌磋會議。為菲律濱殘障者爭取更多的福利權益，是他鍥而不捨的聖神工作。

※　※　※

他的日子充實而有意義，他充滿朝氣，樂觀，富同情心。

每當他伏案編寫樂譜，或撫著陪他幾近三十年的心愛鋼琴時，母親美麗的慈顏便會出現在他的思想中：「歲月與憂慮一定摧殘了母親的容顏與身心吧？」深深的歉咎與母愛的溫暖是他內心中一支潺潺不息的溪流；永遠歉咎，也永遠地感動著。他多麼盼望能看到母親的容貌？如今是否依然是他小時候熟悉的那一張「母親的臉」？

「媽媽您變蒼老了嗎？」無限的惦掛積在他的心中：

「當然老了。人能不老的嗎？」母親輕言淡描地回答。隨即牽起他的手按在她的臉上。歲月縱能磨皺了母親的容顏，卻不會磨薄母愛的深度。

而父親不只是他的長者，也是他生活中的輔導及資助者，更是他茫茫人海中的一盤指南，讓他安穩地走在旅航中，而不迷失。

最近蔡賢銘所領導的「光的使者合唱團」，更上一層樓地，為其新曲「千里外的一顆星」PINAKAMA TAYOG NA BITUIN」，灌出光碟，(COMPACK DICS)向社會作出更廣泛的貢獻。

一位殘障者的成功，在背後必須有一對了不起的父母。是父母堅韌的雙手，引導他走過起伏的道路，是父母心中的愛，發射出萬丈的光芒，照亮了他光明的前程。當然，蔡賢銘的奮鬥，努力，勇敢、堅毅是兑現這一切的動力。

寫於公元二〇〇一年十二月

筆錄千島文藝營

以介紹的方式，將「文藝營」豐盛的內容及深長的意義，作一面簡略的報告，是此篇文章的中心目標。

五月廿一日，我們的誠懇終於邀請來了第一屆東南亞文藝巡迴團蒞菲。七位台灣名作家兼教授；林燿德、鄭明俐、羅門、吳潛誠、林水福、王幼嘉、許悔之，專程為擔任千島詩社所籌辦的「文藝營」講師而來。我們的雄心，更激發起菲華文藝界諸同仁的鼓勵，投以我們最可貴的支持。這份崇高的情操，充份表露出人類超越現實境界的奉獻精神，更展示出熱愛文藝者跨出實際生活環境，所持有的特徵。

不安的局世，沒有令千島詩社的同仁畏縮，也驚退不了文藝巡迴團的七位團員，定期的班機在亞謹諾機場準時落地，「文藝營」依照計劃進行。在炎熱的五月天，一群熱衷於文藝者，勇敢毅然地在菲華文藝版圖上，填下了一頁文藝奮鬥史。

當天晚上，我們假馬尼拉巴比倫 MANILA PAVILION HOTEL CORAL BALLROOM 大旅社，以隆重的雞尾酒會歡迎他們的光臨，為表明我們對七位名作家所負的任務之重視，會中特別安排七位女社員：謝馨、藍君兒、范零、王錦華、曾幼珠、小四、幽蘭，分別遂一為七位作家作簡要的背景，學歷，著作等介紹。同時我們更為表達對歡宴中每位來賓的無限謝意，特由社長平凡上台致歡迎詞；

『諸位不遠千里而來的貴客、各位文藝界的前輩以及同工、晚安。

首先讓我們歡迎來自台灣的第一屆東南亞文藝巡迴團的全體團員。

我相信在你們未來菲律濱之前，一定有人曾嚇唬你們，尤其現在正值選舉之後，更是隨時會發生動亂，不過，你們還是不顧一切地，風塵僕僕，跨越重洋而來到了馬尼拉。

為了這點，我們要特別為你們鼓掌三分鐘。

現在我要為你們介紹菲律濱的土產，近幾年來敝地出產了二種聞名全世界的土產，第一種土產就是軍變，六年來敝地出產了八次的軍變，這軍變之產量居世界第一，還好，很幸運的，我們是專門出產失敗的軍變，第二種土產就是總統的候選人，你們知道在競選期間向選舉署登記的總統候選人有多少位嗎？告訴你們一共有五萬四千多位，後來經大量刪除之後還是剩下七位，再加上副的，一共是十四位。

因為總統的候選人太多了，我實在不知道我要投選那一位，結果我還是選了那一位會贏的！

現在言歸正題，菲律濱大量出產總統的候選人，證明菲律濱的居民全部是總統人才，這一點是值得我們驕傲的，不過值得我們慚愧的是，目前菲律濱幾乎已經不再出產華文作家了，中華民族歷來的專長是同化外族，目前生活在菲律濱的華僑正面臨著被同化的命運，在這菲華文壇最低沉、最蕭條的時候，千島詩社舉辦這次的文藝營，可謂逆水行舟，嚮應及支持的人不熱烈，這是意料中之事，甚至還有人曾說，千島詩社這班詩人，不是腦筋不靈活，是頭腦有問題，不過我們始終認為，在這菲華文藝最低潮的時候，當其他文藝團體都在袖手旁觀之際，千島詩社的仝人拿出我們一點小小的力量，來為菲華文壇做一點事情是應該的，千島詩社的主編施文志最近在辛墾集寫了一篇文章，他在文中認為菲華文藝病得很重了，而且病得很久了，要怎麼辦，誰來救菲華文藝呢？

為了病得很久的菲華文藝，千島詩社這次特別自台灣請來了七位很著名的醫生。再下來，我們還特別指派專門人員，來一位一位地為你們介紹這幾位名醫，以及他們的醫術。

最後祝各位文思齊進，運筆如飛。』

五月廿二日下午二時，第一場文學講座假商總大廈舉行，由教授林水福與吳潛誠兩位作兩堂的專題文學講座，臨場坐廳的文藝愛好者，在沉悶的下午，卻能集精會神地注視著講台上的一端，會場充溢著學習的氣氛，令人欽讚。

來不及環視馬尼拉市的容貌，於隔天五月廿三日上午八時，即整裝赴呂宋島南部的大雅台市，這次的「文藝營」即假該市聞名遐邇的沓亞風景旅社 TAAL VISTA HOTEL

進修，全營人數共四十多位，除七位講師外，有學員：平凡、白凌、月曲了、王錦華、施文志、施湧筆、劉雅雯、修如、蘇榮超、迦寧、張淑清、劉純真、董君君、小鈞、吳明察、曾幼珠、施夢真、蔡凱琳、王清兒、王明嚴、李婉薇、趙淑慧、劉配琪、許逸泉、陳文進、謝馨、施約翰、林婷婷、幽蘭等，營員素質充實，皆為熱衷於文藝研訓的各方面人士；有資深的教員，品學兼優的學生，詩人、作家、商業界的有識之士，年齡的平均更廣範，從十多歲的大學生，到六十高齡的教育界先進，但大家卻抱有一個共同合一的目標：即為探討文藝學習創作而來。

放下行囊，跑近那幾乎可與我們相碰的沓亞火山邊，誘人的藍湖上空，浮著迷人的白霧，她不知該飄向何方？

青青的草原，沒有牲羊，只見滿山坡紅紅綠綠，黑黑白白的遊客，沖著爽涼的山風微笑。我不捨地與大自然揮別，在下午二時，集中到佈置舒適的會議廳中，開始為期三天的「文藝營」課程，室裏俱備最現代化的設備；完整的第一流音響，清晰的幻燈幕，高度適中的粉板，潔白的桌椅，冷氣調節系統，光線充足，更有美味可口的茶點任君選擇，更有侍應生隨時可招喚。第一堂課由許誨之先生介紹世紀末的台灣詩，並簡介台灣詩的近代史，到下午四時多才結束，休息十分鐘，第二堂即由鄭明俐教授接下去，鄭教授分析散文的表現技巧，並以朱自清的「背影」，詳細分明地講解作品的表現法，藉著分析台灣多位名散文家的作品來指導讀者如何去欣賞一篇作品的優點，如何能寫出一篇好的散文來，經她的開導，學員們對「散文」有深一層的認識，更探索到寫散文的途徑。六時半，欲罷不能，課餘餐前，鄭明俐教授的身邊，緊圍著年青的學員不散，剛用完晚餐，學員即三三兩兩地返回課室，等待第三堂課的開始，自八時到十時三十分，由現代詩人羅門先生講授現代詩的寫作技巧，現代生活與現代文學的關係，將近午夜，學員們還是集精會神地專注聆聽，沒有早退或缺席的記錄。學員學習的態度，既認真又誠懇，令講員們甘願犧牲就寢的時間，陪著大家延長授課的時間。

五月廿四日，文藝營進入第二天。雖然大家都欠缺睡眠與休息的時間，然於大清早，卻都已出席在餐廳裏，用過早餐，精神飽滿地進入課室，開始第一堂課，由八時到十時，講員是美國華盛頓大學博士吳潛誠教授，他講授寫作的理論與文學跟語言的關係。稍後用過點心，便接下第二堂課，由上午十時到十二時，由日本東北大學博士林水福，講授少年兒童文學與創作指導。用過午餐，停歇片刻，大家急不及待地再埋首入課室，等待教授的臨蒞。二時正，兩位教授林水福與王幼嘉先生作同場的講解，有趣地分析漫畫藝術與文學的關係，授課時間延長到四時三十分，由於受時間的分配所阻，祇好匆匆結束這一堂課。最後一堂，乃由新詩人林燿德分析千島詩選一九九〇中，諸同仁的詩作，予以學術上的評價，同時借此談現代詩的欣賞及創作。

兩天來課程密度雖就有點教學員幾乎喘不過氣來，但因講員授課生動有趣，所講的又實際而中肯，適合學員們實際生活中的探討需要，更滿足了精神生活的追求，尤其是年青學員們在創作的成長過程中，於這一學術講座中得到進一步的突破，更助長他們在創作中的躍進。課堂中同時提到學習初期的正常狀態——即偶像崇拜，當學員們培養更高一層的文學欣賞水準後，自我心中的偶像，便被否認，甚至打破，而這時期的作品才能完全掙脱模仿的陰影，創作出真正屬於自己的著作。

在短促的兩天裏，講員們盡其所知，將其所能地將文藝創作方針，授予學員們作學習研究上的參考，對世紀華文文學趨勢，現代散文創作，現代文學與現代生活，兒童少年文學創作，文學閱讀與批評，當代觀美，現代詩創作，現代散文欣賞與創作，當代台灣女性文學等方面的知識，更是收獲頗多，受益不淺。

七堂課程佔用了十五個鐘點。雖近以填鴨式的惡補，但所幸學員們皆為熱愛文藝，衷心於寫作的好學之士，亦素保養有一身「銅胃鐵腸」，消化系統奇佳，相信再多的「進補」，也不會侵蝕到健康。

最後一堂課五月廿五日晚間八時，舉行文藝營座談會，兼結業式，雖然沒有授予任何的結業證書或文憑，但我們都認為；無聲勝有聲，無形勝有形，內在真實的世界，才是我們所在乎的。

坐談會在一呵氣之下過了三個鐘頭，教授與學員打成一片，研討的氣氛湧溢在會堂的四週，尤以年青一群的向學精神及求知心態，令我們為之深深的感動。師生們坦誠地交談到子夜仍舊依依不捨，直到廿五日，回家途中，大家才忽然感到熬夜缺眠的疲倦，同時也忽然發覺大家都錯過了ＴＡＡＬ湖中火山的美景！

回岷市，教授們偷得半日閒，逛一趟神話般叫人嚮往的總統府，引人起敬的亞謹諾墓園，還有震憾鬼神的英雄塚，可愛的菲律濱，多少人願為妳的純真，把家園留在妳的環視下。

五月廿七日，最後一堂文學講座假商總會議廳舉行，由許悔之先生分析介紹台灣近代作家及其作品，再由鄭明俐教授講散文的創作。鄭教授以深入淺出的手法，講解散文創作的技巧，使學員容易接收及理解。

千島詩社「文藝營」及「文藝講座」，係屬首次舉辦，同仁們的攜手合心，犧牲貢獻是此次成功的因素之一，菲華文藝界各文藝團體的支持，是成功的因素之二，諮詢委員邵建寅院長的精神鼓勵，不辭辛勞地來回奔跑，愛護關照之心是成功的因素之三。

寫於一九九二年五月廿九日

輯二：懷念故人

我夫平凡

擁有您，即使僅僅一年，已足以讓我感到富足，何況我擁有您二十八年，更何況我曾與您分秒不離地廝守了七個月，雖然它道不盡滿腔的辛酸。正如您所說：「我們雖祇結褵二十八年，但我們彼此相愛，夫妻能如此，已不負今生，願來生依然結為夫妻。」此刻，您雖離我而去，但並不指我們緣已盡，我們的緣份將持續至來生再世，再世來生。

「您是不平凡的平凡」。這句話常是關愛您的朋友對您的讚賞，但您在我心中最不平凡的，還是您心中自我的「平凡」。您坦率正直，豪爽慷慨，純樸真誠，有正義感，最可貴的是您勇敢剛強，敢言敢作，處事堅持原則，對人熱情寬恕，使每一位曾與您有過一晤的朋友，總能把您留在心中。您把滿腔的愛留在人間，自己卻悄悄地走了。

您孝順雙親，摯愛兄弟，疼愛妻兒，關心朋友，對生命充滿熱望，對未來抱滿信心，那太多太多的理想，太美太美的計劃，卻留給我獨自支撐，讓沉痛的哀傷教我獨自承受。

您滿瀟灑脱俗，風趣而開朗。可是，自古英雄唯怕病來磨，當惡疾肆意摧殘您，您身心內外受盡毀傷，我因禁不住而嚎哭，不意被您聽到，您走近我，把我擁在懷中，無奈地、無限歉意地對我說：「我此刻乃似虎落平陽，身不由己，您一定要堅強，要勇敢！」開朗如您，勇敢如您，我祇有收斂起憂傷、哀痛，擦乾眼淚接受要來的一切一切。

您病危之際，見老母哀泣，聽母親口口聲聲要把歲壽留給您，讓您能養她老送她終。然而，世間的悲哀，是我們未能掌握住自己的生與死。

您艱辛創業，白手興家，使您珍惜所擁有的一分一文，然而您卻那樣不吝嗇地讓我穿金戴玉，讓我享受世間的榮華富貴，但您知道：我真正內心深處的渴求，是與您白頭偕老，與您共享含飴弄孫的晚年之福。您莫能為力，我無語對蒼天。

您係性情中人，內心的感情世界永遠敞開無遺。曾是您用心良苦的至友和權君，最明白您的為人，您如他的父兄、您如他的導師、您更是他永遠不能忘懷的深交至友。您的噩訊，使他奔馳靈堂，哽咽對我說：「若知有今日，我願在他生前登報向他道歉。」這個「道歉」是您生前最在乎的。此時雖然來遲了，我還是要讓您知道。您生前說過：「一個人説錯了話、認錯、向被傷害的人道歉，乃是一種大無畏的精神，也是一件大善事。」（錄千島詩刊第三百十六期）。

您對我的愛，失去您，使我痛不欲生，您對我的情，使我未能自哀傷的深淵自拔，您對我的義，教我要舉筆為您伸張——猶記得那難忘的一夜，我因發高熱 H-FEVER（而非臨盆），您把我急送醫院，匆忙中忘了帶錢包，因記起在醫院附近友人處，曾寄一筆錢，您即前往索取。您樂於助人，朋友有難時，您總是傾囊相助，我暸解您的為人，故我萬分體會您當夜的心境。

我們相戀八年，戀愛的路坎坷難走，兩相廝守又僅僅二十八年……萬般的憧憬，皆因您的消失而幻滅。

寫于公元一九九六年九月十三日

追憶平凡

您的走：使我像跌入一場醒不來的噩夢，然而那絞心的悲痛，卻不該是夢中應有的感覺。在這段過得這麼漫長，感覺又是如此短快的二年，時間為我作了殘酷的熬煉，教會了我得去接受這場傷心的事實。當日子一天又一天地加深我對您刻骨的思念時，即禁不住要問：人生真的是一場您我都不甘心的輸贏嗎？

您的走，沒有帶走世間的人情，在這二年中，我們的親人、朋友、同學……。他們至誠的關懷，使我體會到人與人之間的情誼，因真摯的愛心能發出濃郁的人情味。這點，我知最能安慰您在天之靈。

「朋友」與「酒」是「我」以外您最貼心的，我曾勸過您少喝點酒，可不曾擋過您多交朋友，這點，無悔地我慶幸自己做得完全對了！「酒」與「我」因您而收藏，唯獨我們的朋友卻因您而伸展溫暖的掌心：正如白凌君所說：「您我的友情，不因您的遠去而緣滅」，又如施約翰所說：「您是我的朋友」，更如陳一匡君的心聲：「他的去，並未走出辛墾人的心坎」，人世間確似蒼茫雲海間，變幻無測，然一份友誼，皆是一道靠岸，您以赤誠的心播佈，在人世間已種下一顆不死的心。

夜闌，再也聽不到您驚心動魄的剎車聲迴響在靜寂的夜空裡，當一輪一輪陌生的快車風馳電掣地飛過咱家門前，刺眼的燈光閃入窗內，那熟悉的情景，如斯震撼我，又如斯教我懷念，此情此景，勾起月曲了君曾在燈下因追念您所寫的詩：

「大街小巷因你的剎車遂一成為斷句

當椰樹在門前散髮奔走

停筆的窗內

眼淚把書桌看作無人的遠方

深秋在深夜趕寫回憶錄」：內心的沉痛與秋色並重。

回家偶爾帶著幾分醉意的您，總是豪情萬千，星空下與我作長夜敘談，談論文藝界裡每一位文友的文章或新詩，情節或意境如何精湛！鼓勵大家努力創作，是您所致力以赴的目標。每當您有新作品發表，又逢有知己讚賞您幾句，您更是激情滿懷，把心中的感受與我分享。您的文，無論小品文、論文、雜文、散文總是寓意深長，道盡人欲道而不敢道出的另一面世情，以詼諧的筆句，深入淺出：您獨特的意識，智慧的見解，護得文藝界諸多人士的支持，如蘇榮超君所寫：「您的文章一直不落俗套地一直求變求新，」至於您的新詩，氣魄豪邁，國家民族的觀念，湧溢於詩句中，對宇宙，生物，人寰，空間，時間，世事，國事，您皆以關懷的心思作細膩透徹的觀察，多層面的表達方式，是您的詩作中的思辨特質，故文友林耀德君在「詩的不平凡」一論詩中，這樣評過您的詩：「平凡的思辨趣味——特別是在精悍的短詩之中。」台灣名詩人羅門君曾在一篇「詩評的真實地帶」一論詩文中，特別介紹您那首「黑人」的短詩：

「伸手不見五指的
人權
臉上
裂開兩排整齊
白得發光的
無言」

這首以小見大的短詩，可看出作者非凡的觀察力，透視力，想像力與對存在高度的批判力，」羅門君說：「這首詩，的確是深沉不動聲色的……是高度的藝術表現。」這些鼓勵性的評論，非但絲毫沒有縱驕了您，反而使您在為人處事上更順和，然而對應該堅守的原則，您還是堅定不移，持守到底，這份執著的精神，莊良有女士曾在悼念您的文中這樣形容著：「柔中帶剛的堅持著他的立場，他那剛毅不屈的精神叫我想起跑江湖的英雄豪俠。」您常說：「真理是您我都應護衛的，我祇是在做這件事而已。」

您走後十個月，香港即回歸。這個屬於中國人的偉大日子，您卻稍然缺席不能陪我共同歡慶！想起您生前常沉重地作感歎道：「領土不完整的國，不叫做強國，一道圍牆，畢竟會削弱國家的命脈，一軀完整健康的身體，應該是左右手互持合一的。」

您滿腔的熱血，常借筆尖抒暢，對人生旅途上的百態，您則以簡潔含意深遠的詩句作警惕，引人走向另一種未曾探索思迴的思維，而不覺驚奇讚嘆！

您是一位：「予人快樂的人」這個稱號您當之不愧，故友林泥水生前與他的夫人劉純真女士一直這麼欣賞您風趣的做人作風及幽默的文筆，記得您那篇散文：「去日樂多」在報端上發表，當天泥水兄說了這麼一句讓我永難忘懷的話：「清澤擁有很多喜愛他的作品的讀者。」他義重意深的鼓舞，是您以後的著作更上一層樓的動力。

您的走，我哀悲傷痛，雖知人生誰也逃不過生離死別的關卡，但您生命的燭光不該在未燼時熄滅！您留下太多的問號？在文藝的聚會上，不再看到您的遲到，讓大家罰您乾杯，祇讀到小鈞寫出對您的懷念：

「酒未盡與
留下哀傷讓我們醉……」

金園餐廳閣樓，燈火依舊：今晚是詩友們的蘭約，偏不聞桌上吟詩論文聲，祇聽到謝馨在千島的潮音中，講一個平凡的故事，已隨南海濤聲逐漸遠去……

「九月十三日月蝕，天空被劫了！
好像捨棄了整個千島，傍晚時
您已登程……登上這截不歸路，該不是您為自己的生命所劃的行程？您才華洋溢，亮麗盛放的生命在大家措手不及中消失，教人哀傷，怨惜與不捨。」（錄心田詩）

也許是嫌世界太青翠？
也許是為文藝太蒼白？
也許你沒有聽到妻兒的呼喚？您瀟灑而去，卻把我們哀傷地留下。(錄綠萍詩)
安息吧！平凡，大家沒有把您給忘了，人生還有什麼可求的呢？

寫於一九九八年九月十三日

「平凡文集」的光彩

能為您做的，已經唯有把您生前的作品：散文、詩、小說、論文，凡能索取得的一字一頁彙集成書留作紀念。雖然您生時從不曾奢望過為自己的心血結集出書過（直到您發現身罹癌症，才有此份心意）。因為我倆永遠不會去涉想：「生命的盡頭」，原來會這麼突然地來到？不是嗎？我們一直來是這麼樂觀的策劃著未來！更不時地為美麗的遠景籌備著一切。

收集您的作品，是這麼的沉重：以我愚魯的心智來整理您睿智的文學結晶，確是一項非凡的過程，它使我戰戰兢兢，深恐內容的漏失，或失誤的文詞校對，使您完美的著作圈上遺憾的標誌。況在每每觸撫及您的心血著作，心中的感受，皆因您著作中不凡的思維，才華與智慧的卓越，而感惜萬千。

在淚光中細讀您的作品，千遍萬遍。您於文學創造上的造詣，使我震撼！著作中呈現出您真誠與坦率的情操，更令我欣慰。集您腦力與心血的「文集」正如生活中全面的您：充滿樂觀的心態，積極的人生觀，不屈不撓的處世精神，是以在生時您活出了光明磊落的一段人生，更而能匯集出您光彩的一本文集。

您因擁有真誠，坦率的內心世界，故您能寫出這般真實的話：「我認為還是寫文章捧自己最穩當，最合理，也最過癮……」(我)，何其坦誠又勇敢的自我剖白！而您，呈現在大家眼前的，就是這樣的典型──不欲遮飾，不假虛偽地面對社會人群。

「迷信者是一群缺乏求證精神及勇氣的人：他們抱著：寧可信其有，不可信其無的哲理，迷迷怯怯地相信著連篇鬼話的糊塗蟲……」(迷信)，續後，你又因餘怒未休故又加了一段：「活生生被氣死的知識份子，為數應該不會少？」，然卻是以包藏著愛心的詼諧口吻作表達。「寬恕」這一門學問，是您一直在努力的功課。

天性樂於揶揄人，然從不落於輕薄的您，日子裏常獲得同異性朋友作高談闊論，更蒙大家對您在學術上的見解分析予以高度的支持，以溝通的心靈與您共享著作中的風趣：

「小費的定義極簡單，就是對於服務人員一種獎賞與鼓勵。不過如乾脆不給小費，當然更加簡單。」(小費)。

「據說：如果您所賺的錢多過您的太太所花費的，那您就是一位成功的丈夫。」(代溝)。

「聽說奴隸的時代已經過去了，我認為，這種把人類轉變成牲畜階級的制度，還一直存在於我們日常生活的社會之中」。(奴隸根性)

「那時代，凡穿著低踊之白布鞋的男同學全都是武林高手。回憶我第一天報名加入『光漢國術館』，坐了幾分鐘的三戰馬樁。第二天立刻買了一對嶄新的白布鞋，走在學校的操場上，渾身是勁。」(去日樂多)。

挪開輕鬆的一面，您也有嚴肅，執著的生活層面，您對著作的態度，認真而堅持，且絲毫不馬虎。因您對文學的重視，著作的尊重，是以您的作品，字字篇篇皆以赤誠的肝膽投入，竭盡思維的智慧來成就，並維護它們在文化的領域裏長存不朽。

「平凡文集」雖僅祇是您一生著作中所能收集得的一部份，然文集中的您，是真實的您，活生生的您：我幾乎能觸撫到您跳動的心脈，感受到您激昂的呼吸。

「平凡文集」也許將能帶給曾閱過它的讀者們，一份對人生的共同感受及回應：驚喜與機智。這一份恩惠是上帝至大的賜予，也是您來世間這一趟的最大收獲：「平凡文集」的發行，當能告慰您在天之靈。

寫於公元二〇〇一年九月

心疼二嫂

與我感情篤厚，情似姐妹的二嫂，猝然暴斃！她離世時，我承受的錐心哀痛，真若在我傷痕未癒的心坎上，又遭了狠狠的一刀，內心的悲傷，使我不能自控地於森嚴肅靜的加護病房中，號啕大哭。至今，每次想起她，仍然教我熱淚汪汪。

當天中午，二嫂打來一通電話，只為通知我；她要到兒子家休息，因恐我打電話找她不著。在電話筒中，她氣喘吁吁，上氣不接下氣，勉強跟我談了幾句就掛了電話，不意有它的我，則鑾粗心地把它當作一場小病，而掉以輕心。

還來不及去探望她，就在黃昏，接到侄兒從醫院打來的電話，吊著一顆忐忑的心趕到醫院，在本該雀鴉無聲的急救室中，卻聞到囂嚷的嘈聲，她周圍繞著幾位醫生護士，慌張地把她推進讓人驚懼又憂慮的加護病房，我尾隨在後急跟著，短短的走廊，走成了鐵軌似的漫長，終於在寒冷饋骨的小房中停歇。她臉色格外蒼白，一層青氣凜凝灌了她的額角。她的身子滾動在凌亂的白床單上：或躺或臥著。當她一眼瞥見佇立在側的我，即伸出乏力的手掌跟我緊握：彷彿要我緊拉她一把。相握中：我感覺到她如游絲軟弱的氣息，幾乎被氣喘淹蓋。她雙眉緊鎖；面部痛苦的表情震撼得我驚惶心悸，而俱來的重重憂慮，更把我的身心捆縛得喘不過氣來。過了一小陣，她掙力地吸了一口氣，嘶聲喊著：「四姑，我呼吸困難，我大概要走了……」

敢情說像是一眨眼的二個多小時吧！祇見白色吊圍的小房中，盡是穿穿插插的運作，恍惚錯雜的人影，閃著燈光的儀器……她還來不及抓住搏鬥的目標，即不及待地帶著週身五顏六色的醫學道管，放下她眷戀的年青生命，走上茫茫的不歸路。而我，掉落在驚愕中，摸不清眼前目睹的這一場人間悲劇，是真？是假？瘋狂地不知該向何方控訴？何以生命如此脆弱？靈魂又是如此無情？

二嫂小我一歲，那年正值荳蔻年華，天真無瑕的芳年十九，便嫁到我們家作媳婦，處身在上有公婆，中有妯娌，下有小姑小叔一大群的大家庭中，挑起連鎖式的人際週旋。她因生性靦腆羞澀，心地又善良，故很得翁姑的疼惜，由於性情隨和胸襟豁達，使得長年來跟我們八個兄弟姐妹相處得頂合諧，所謂因爭端而擦閃的火花，就不曾發生在我們的家庭中：更遑論在丈夫耳根邊挑逗，婆婆面前搬弄是非，這些夠攪翻感情的家庭戰役了！

我那三位輩份跟年齡與她參差的姐姐，雖在她過門時，已出嫁為人母，但縱然如此，她居然能跟她們培養出一份敦厚的情誼。記得姐姐們逢週日回娘家，一家一家口像一隊隊募集而來的軍隊，一打開車門，順序大小的甥兒，肥瘦不一的保母女傭，一窩蜂湧進家門；客廳充作球場，廚房如餐館……從上午鬧到日落西山，教人頭頂金星發悶，然這一日的二嫂，卻能友善地屈就自己，充當了母親的廚房助手，在油煙熏嗆的廚房中，忙得不亦樂乎！

她臉上綻開的笑容，是一朵化解姐姐們心中重重歉疚的含笑花；怡人心懷的芬芬，散溢可聞。

為了補償帶給娘家無謂的干擾和諸多的不便，姐姐們畢竟能會心地，在三天五日裡，送來一些進口佳品進貢；尤其是二嫂最喜歡的化妝品呀，她頗感興趣的妝飾物啦，或時髦的服裝等等；人際的關係就在相互的綢繆，彼此的體貼中，共同在心裡鋪出一道溫馨的大路。

記得二嫂初下廚房的情境：該是新婚燕爾的一個月，倒真像小孩玩起家家酒；沒有煤筒火柴的概念，更忽略了油、鹽、醬、醋的佈局，一面不沾俗世油膩，不識人間愁苦的圖面，透視了她潔淨如鏡，單純如泉的片斷人生，而……。

在母親溫順得不當一回事的疏導下，她竟然在日後烹飪得一手美味可口的佳餚！聰慧如她；更能把豬腳醃成火腿，碎肉捏成燒賣，飄散的麵粉，在她巧手慧心的揉作下，發揮了物盡其能的功力：於是，燒包、水餃、上元圓紛紛跑上市場。

我們家就住在中路區的菜市邊(DIVISORIA MARKET)，是購物的優惠地盤，二嫂也許因得天時地利的造就，培養了一身採購的好功夫，在中路市區買東西，不比在高尚的超級市場購物那麼單純簡易；不但對身處的周遭要加一份警惕，且於購物的關節更需要眼光精銳，辦貨準確，討價更須有氣魄膽量，我們姐妹因貪著想能在那購物的天堂，搜得物美價廉的意中物，便屢屢勞駕二嫂為我們出差，而她也總不負所望地，於隔天便把事情辦妥：且往往是一份出人意外的大收穫！

嚐了甜頭的我們，貪念越發起勁，電話三日兩頭打，熱心的她，總是不厭其煩地為我們朝暮奔波，有時候為了替我們爭取不捨得讓人多賺去的五毛錢，還辛苦地繞了三趟四條街的路邊攤位！她的耐性，是無盡關懷的付出，亦是無盡的愛護的表達……如今，當我們在琳瑯滿目的購物市場中蹣跚躊躇時，二嫂的影子便在我們的腦海中，懷念她的哀傷，久久不能拂去。

凡認識二嫂的親朋戚友，皆心眼同感，咸認二嫂是一位美人兒，麗質天生的她：有一對雙眼皮的西方大眼睛，烏黑的瞳眸，炯炫著穩重賢慧的靈魂之光，在她飽滿的人中上，有一隻懸膽的高鼻子，一雙畏縮伏俯的鼻孔，深藏著她謙虛的內心世界。兩道柳眉，柔和中帶著坦爽，如她的為人處事。一張不善於搬弄的櫻桃小嘴，即使在「無中生有」的角落裡，依然矜持地封閉了所有的是是非非。至於她的身材，雖不算高佻，但因配比得宜，使她能被看起來既豐腴且稱得上姿態綽約，風情萬千……。

還牢牢記得每有婚喜壽慶赴宴前，二嫂總肯騰出許多時間來，投我所好地讓我細心為她打扮梳理，本就標緻的她，這時候便越顯得雍容高貴，當有人向她讚賞時，她卻偏說：「是能幹的四姑替我妝扮的。」眼神更帶著感激的神韻，把「功勞」「榮譽」

推送給我，卻謙遜地把自己的資賦給以否定。她這份推誠相與的心態，常使我汗顏，然在我內心的深處確是感激到極點。

我在待嫁閨中的長征路上，二嫂是我忠心不二的知心夥伴，我雖長她一歲，然而看我喊她為「二嫂」的因由，便在她的心目中被溺視為稚嫩的「小小姑」，而得她無微不至的呵護；遑論幫我買雞毛蒜皮的日常用品，陪我選潮流的華服。尋覓雜貨店中日新月異的小零食，更常隨我到同學處閒聊，看我熱衷而她卻索然無味的國產片電影，逛我一味沉湎，而她可懂不上百個字的漢文書店……這些對她肯定是乏味的任務，虧她卻能一路與我身影相隨。甘心承受那領略不出其中情趣的「心煩」，這種乾燥且不可理喻的情況，可就一直延續到我嫁出方罷休。

然而即使彼此南北相隔，即使是各自繁忙著自己的家庭，我們依然保持著心思的聯繫，通通電話，互遞新手法調烹的佳餚；遊饗小食館，逛櫃窗……一直走到面臨年老體衰的威脅，便相約不妨加一點運動，好把褪色的日子點綴出一條花絮。

最令我為之感動的，是二嫂在信仰生涯上的抉擇毅力。二嫂從小即在天主教學院就讀，順理成章地一向以天主教徒自居，當然了，教堂裡做彌撒，醮聖水劃十字架，便聚成她生活中的一些操作。然而，當她接觸了基督福音的見證後，幾乎有一股力量把她從觸摸不到的虛幻境界裡，拉回到能充實靈命的現實中；上帝以救恩的愛，填滿她心靈的空間，神的憐憫激發了她內心深處對信仰的渴望。自此，她在信奉上的虔誠及熱心，可說已遠遠超越了我這個不冷不熱的，曾贏過她信仰歷程的基督徒。

常羨慕那本重重厚厚的新舊約全書，在她的翻閱中，脫皮打皺。常欣見她在團契祈禱會中低頭默禱，週日崇拜會，更見她端坐會座一心敬虔地吸啜靈糧聖餐……這些都足使我感歎不如，而更愧慚有加。

二嫂的美，外在像一瓶精巧的西洋香水；引人矚目。內在的美；像一輪太陽，溫暖在我的心中，當走入消失時，它的餘輝，依然映照在我心中的大地上，永不被遺忘的黑暗吞噬。

寫於公元一九九九年二月

懷念林泥水先生

林泥水先生，生前我們直稱他：「泥水兄」。他安息後十年來，每談起他，我們依然不改口地直稱他：「泥水兄」。我們不捨得將「死亡」的不幸，再註上詮釋。何況，他在我們的心中，是永遠活著的。

每回碰巧與純真姐在一起，在話題中她一定會談起很多有關泥水兄的生平，而我，也總會經不起情緒的牽連而引談起一些平凡的趣事，彼此談著說著，同是天涯斷腸人的心痛，便似浮雲般任由它不歇息地飛過思憶的長空，當飄落在重重的斷崖再回首時，此時心中的觸境，沉重的失落之感，便令我回想起泥水兄常唱著的一句歌詞：「輕舟已過萬重山……」那麼惆悵……。

十年前，泥水兄夫婦，月曲了夫婦，文志夫婦，白凌夫婦，我們夫婦以及陳默大夥兒，常長夜聚敘在歌廳或小餐館裡。先生們談詩論文或唱歌喝酒，而我們這些女士們，則在一旁細談家事兒女事，當時泥水兄就常把這艘飄逸飛快的小輕舟，伴他蓄著情感濃厚的歌聲，傳送入大家靜謐無瀾的心湖。其樂融融。唯是那幅畫面，如今已不可復得！由是，更倍增人生動如參與商的感慨。而對泥水兄留給大家的這份情誼，尤更加懷念，珍惜。

記得少年時，對電影戲劇十分熱衷。是以亦連帶著對僑社話劇界的人士及動態多一分注目。泥水兄的大名就常常在話劇公演前的海報上看到。他富有時代感的畫面設計，很突出地展現出華社的風味來，使我心中萬分欽佩。後來真榮幸地在文藝的圈子裡與他倆夫婦結識了！真不敢相信在話劇界鼎鼎大名的藝術大師「林泥水先生」，竟是一位謙遜且隨和的謙謙君子？

在那個年代，能在僑社中負有盛名，且廣及在學的青年學生的注目，已不是泛泛之士了！

泥水兄還是一位「大我」的推崇者，為顧全大局，他對事貫徹始終，處事鞠躬盡瘁。在他的一段人生中，有好多應歸屬於他的大好機會與利惠，然為堅持原則，都被他棄置一旁。在澎湃洶湧的生意場上，經歷過銀海的大風大浪，他卻能依然淡泊地就駕輕舟，與世無爭地越過險雜的萬重山，實令人羨仰。

記得他常很自豪的對我們說：「我雖兩袖清風，然而心安理得。富貴在天，萬不可強求。」他哲理諦深的一番道理，顯出他清高廉嚴的品格，是大家敬仰的一位長輩。

文藝界中有他的典範存在，「文人清高」的美譽將永世長存。在懷念中我再向他獻上至高的敬意。

寫於公元二〇〇二年一月三十日

細說平凡童年

冒著四月的酷暑，婆婆自菲京返回大陸，探視家鄉春初動土的新祖厝。在一堆舊傢俬廢物中，撿到了丈夫兒時用過的一本國語教科書，泛黃的書面上仍然清晰可辨地看到稚童的筆跡；歪斜不整的墨水筆字，粗細不均的毛筆楷書，還有塗得紊亂的鉛筆畫，橫豎顛倒地排列著。掀開書頁，撫摸書中頁頁的皺紋，更是滿腹波瀾起伏。婆婆她老人家虛弱地把這書本收藏在行李箱裡，珍惜地交給我，當我目睹到這本歷經五十年飽嘗悲歡離合，如今又承受著死別的創傷的見證物，丈夫孩提的事蹟像一卷帶著彩色底漫畫般的童年，震顫在我蒼白的腦波網面。

心裡想：假如丈夫還在，這本薄薄殘留著他指紋的書本，將會激起他怎樣的一腔情思？洶湧澎湃似的浪潮，或黃昏林間涓涓的流水？該有幾首詩作、幾篇散文方能抒暢他心頭積壓的情懷吧！

泡了一壺香茗，禁不住又開了幾瓶啤酒，在夜空漫天璀璨的星雨下，贏得了他整夜的細說童年……。

「我家後院有一堵茂盛的竹林，密密麻麻的尖葉子，彷似一連系出軌的太空船，我家是宇宙中沒有方向的站，唯我是獨一穿著太空吊褲襠的太空人，站在遼闊無邊的空中田野，登上人生的軌道……。

祖父少年來菲，在菲島南部富庶的仙答洛市(SAN PABLO CITY)經營椰乾業。五十歲那年，仙市風雲變色，統治菲國的西班牙士兵，捲起屠殺華裔的風潮，祖父在遭搜捕中踉蹌逃進一家農舍，一位仁慈的少婦在千鈞一髮中，機警地以身著的百褶長裙獻作祖父的藏身，拯救了祖父的生命，經此浩劫，祖父毅然結束畢生所創的事業，攜帶著這位女恩人(即我的菲祖母)，及其一男一女(即我的菲大伯及菲大姑媽)，返回大陸家鄉，一心一意想就此安渡晚年。怎料菲祖母不能適應異國水土，不久便辭世，祖父孤家寡人養育一對幼兒，殊多不便，況且中饋猶虛，乃娶了我的祖母為續弦。

在生下父親，再臨到我出世時，祖父已年逾古稀的耄耋之年，我能與祖父在相隔七十年的時光隧道裡碰面，使我成為家裡無價的寵兒，更由於祖父在村中德高望重，便順理成章地我亦躍升為村中的至寶，而「至寶」與「價值觀」是成正比的。

聽說當天我來到這個世界時，曾獲得以鞭炮迎接的儀式，更聽說祖父為我的「光臨」所預備的大鞭炮能從村頭一直拖到村尾，遺憾的是他老人家忘了差遣一隊人馬沿門逐戶敲鑼報喜而已，不過，我已經夠威風的了。

我出生那個月份，恰好是大酷熱的六月天，暑氣逼人，偏是陽光無情地高照著不放，紅光熱燄騰騰，屋頂的瓦片被烘得生煙，而躺在搖籃中的我可依然被祖父母緊纏在大棉被裡，母親見我小小的臉蛋發出了晶瑩的紅光，便火速行動，僱聘了村裡的壯漢連日扛水往瓦簷上潑，期以降低酷暑的威力。然而井水盡管冰涼，仍然驅不散太陽的體溫，而我在重重的呵護中，已喪失了我的抵禦功力，終於我毫無招架地病起來了……。

像一隻睜不開雙眼的小老鼠，被困在朱紅的搖籃裡，搖呀搖，還是搖不響嬰兒的哭聲。母親到處覓醫，眼看秋天已步近窗前招手，秋的氣息亦已浪漫地在落葉裡飛舞，唯獨我的生機沒有稍微的起色，祖父憂心忡忡，難以釋懷，當他們生命中的一絲寄望眼看快成泡沫的剎那，母親從城中請來的一位基督徒醫生，萬幸地把我從死亡的邊緣給撿回來了。

自此我又活得蹦蹦跳跳。

自此開始，母親的信仰生涯，事奉上帝的意念及恆心，更堅固且一生不渝。宗教的色彩繽紛了我童年的序幕，在目染耳濡的環境中，聖經裡耶穌顯示神跡的故事，記載在千頁的聖經中，更刻烙在我純真漂白的腦海。段段的經節，句句的箴言；在我的口中朗誦不絕。母親唱不成調的聖歌，尤恰似我搖籃邊的音響……寶血，十字架，救贖……根深啻固的宗教根基匯成了我童年的啓蒙教材。

祖父母是中國封建時代的標準傳統人物，視佛教為中國唯一無可頂替的宗教，然而為了神通廣大的十字架救活了我寶貴的小生命，竟俯首大開戒，「特赦」母親切切實實地當一名村裡獨一無二的基督徒，並堂堂皇皇地享有年節過冬「不燒香」「不跪拜」的特權，甚至還能於週日，放下廚房瑣事，理直氣壯地過村往禮拜堂聽福音。上帝的恩典，如斯顯示在這封閉寡聞的小鄉落。哈利路呀！感謝主。

我太上皇般的童年，祇僅經歷了三個春秋，就給日本鬼子的矮腳鐵蹄踐踏得一片嘩啦稀爛。中日戰爭掀開了，戰火蔓延東南亞，交通中斷，外匯泡湯，父親的常月接濟無影無蹤，家中境況像全中國每一户人家陷入水深火烈中，風光的時光去得快如飛煙；我自寶座上步下，母親從閨房裡走出，步入泥濘的田稼，而年邁的祖父母晚年的世界，便祇好貼滿了我的影子……。

幼年因體弱多病，我雖誠如祖父口中所述的一塊燙手芋頭，卻依然是他心中的一塊寶，我們祖孫年歲相差將近一個世紀，情感似膠如漆。每個黃昏作伴慢步在黃土山坡，數著蹣跚的步履夾上輕快的小腳印，畫斷黃昏的夕陽餘輝。我純真的耳膜，聆聽著祖父一遍一遍不膩的「心中酸」，初識滄桑的瞳眸，看到一幕幕欲罷不能的「當初時」，聽著講著，我們又走完了一齣黃昏日落。日月的更換，奥妙的人生哲理，催著我往不該屬於該年齡的歲月中成長。

羊腸小徑上的清晨，濃霧尚擁抱著半個村莊，惺忪的葉端吊著彩露，濛濛雞啼聲中祖父已獨個兒從街市上打轉回家，手中拎著兩塊包裹在粽葉裏，騰冒著熱氣的米糕，陣陣饒人的米香噴散了一路：這是為我預備的早點。在我的記憶中，依稀有印象祖父曾如何巧運心計地以二個銅錢，「賄賂」著我，始能順利地把這塊自千里外購來的米糕送入我的小嘴裡。

六歲我被送進學堂，學堂設在厝後祠堂裡，在那段抗戰的非常時期，貧窮的鄉下人家，「幹活」實比「求學」更重要，他們無能力奢侈地把家裡生產工具的兒女送進學堂，何況戰火燃燒著國土，未來的一切還是一個未知數！然而，我獨享恩典，與祇寥寥三四個孩童，霸佔了整個學堂，學堂老師是祖父的棋伴，所以每學期的魁頭，便非我莫屬。

雖然我在學堂的成績這麼「斐然」，母親還是硬撐著夜夜在昏黃的油盞邊陪我背誦尺牘，摹寫書法：琅琅書聲配搭著田畔的蛙鳴，一波一波此起彼落相應，萬籟靜寂的鄉下。煞是擾人清夢。

一個寒風刺骨的冬夜，縮瑟在暖棉窩裡的我，突被一陣震耳的鎗聲駭醒，從蚊帳褶縫窺視到房中，蠢動著滿是持火把的大個子，他們野蠻粗暴地朝每個角落翻箱倒篋，最後把房中的所有箱篋細軟，搬了一個淨空，大門洞開，「家」被劫一貧如洗，整座兩落的大院子墜落在萬丈的深淵中。久久才自深沉的閣樓上飄來祖父的歎息聲，幽幽自欄杆越過天井，直入房中，迴響在我潮濕的枕邊。

待不及戰爭結束，祖父壽終正寢，享年八十八高齡。我初嘗死別的滋味：傻傻呆呆，思索人世間的諸多不幸，為什麼總碰巧在一起發生？好想放聲大哭一陣。

為祖父的壽衣壽棺籌一個著落，母親只得揹著鋤頭，趁早摸黑在田裡劃劃鋤鋤，拾得十來籮筐蕃薯擔上街頭賣掉，祖父的喪事始辦得很圓滿。

在黑暗的盡頭，必得一道曙光呈現，祇是這道黎明前燦爛的灼光，來得太緩慢了，有成千上萬的生命在最黑暗的一刻已走失了方向……

戰爭結束了，前線遍地哀鴻，後線人民流離失所，父親的音訊杳然；戰爭的後遺症降臨在每一個人家中。

父親的音信越渡千山萬水終於轉捎來了，雖不是在烽火中，然依舊能抵萬金。在太平的好日子裡，我對祖父的懷念倍加，像一條緊密的麥芽絲，揮也揮不斷，又不捨得捻斷它，祇有任它溫馨在我童年的回味中。

還來不及收拾戰後的塵埃，另一場灰塵又滾滾，隨著赤色的風暴自延安一路吹襲而來，為逃避這場不知是禍或是福的潮流？母親奮然攜帶著八歲的我逃離家鄉，而我們最終的目的地，則是逃奔向菲律濱的父親。

尚摸不透生離為何物的我，就此與祖母永別。

初露曙光的一個黎明，我被盛載在一隻竹筐中與另一頭的行李對稱著：由一位表親一路挪搖地擔到五里遠的車站，再搭車經過顛簸的道路直達東石市，就在那裡攀上一艘舢舨，風浪交加地劃到廈門市，就此與家鄉一別四十年。

登上陸岸，廈門就在我的小腳下，它被充當作蹬腳石在世事的風浪中淪于渺小，經歷了戰爭的肆虐摧殘，它好似一個大破落户，雖是高樓大廈舉目可及，巍峨的建築物卻遮蔽不了滿街的乞丐，每次在街上走，我們的身後總不長不短地拖著一隊衣服襤褸的男女老幼，沿路哀求乞憐的聲音，淒涼地使我們失魂落魄。惻隱之心，人皆有之，很想賞他們幾個銅板，然而當我們打發走這一批人群後，便接著來了第二批，還有第三批，第四批……如山洪湧破閘口，不可抵擋。

問母親：「為什麼他們不留在家鄉呢？」

母親回答：「像我們一樣，祇是他們還找不到目的地！」

在廈門整整逗留了一個月，領事處的手續與瑣事，如羽毛夠煩又疲勞。自安謐無華的鄉下突轉移到這麼一片喧嘩的大城市中，更覺人生的際遇唯有任由大時代的動盪而隨遇而安。

從高空的機艙窗往下望：廈門恰似海市蜃樓：高樓仍舊矗立，海岸的浪花，依然憤怒地咆吼。

在短暫的飛程中，那一瞬間，我突然自問：

「在那邊等待我的將是什麼樣的一段人生？」

飛機不作第二選擇地降落在菲律濱，而我亦毫無選擇地把菲律濱寫成了我的第二故鄉，再以年月繼續揮彩我的少年。

青年

中年，也許還有
老年……」

寫於一九九八年十二月

母親的髮髻

我隨母親的遺體，進入陌生的太平間，多想能為母親再梳一次髮髻；即使不在梳妝鏡前，即使見不到陽光，即使沒有可感觸到的晨風，而只有傍晚前冷淒的靜寂，和一股將深藏在我心深處的長長哀傷……。

握在我手心中的膠袋裏，盛著母親那兩個隨了她近三十年的圓髮髻，黑油油的綣髮，靜臥在黑絲網裏，千萬條的髮絲，剪自我的長髮，貼配在母親的頸後，一幌竟三十年！我禁不住低吻那悉熟又牽繫著我底心坎的髮髻，幽幽清香，只是已分不出是母親的髮香，還是我的髮味？

母親安祥地躺在鋁床上，任由萬般的無奈伴著她，她的面頰已僵硬，彷若她的心聲：「不願離我們而去！」我以擅抖的指掌，悲痛的心懷，在模糊的視覺下，為她完成我今生最沉重的工作。

母親已走，帶走了她的髮髻，也帶走了我的安慰；一份為人子女得以回報的慰感。

記得那一年，出嫁不久的二姐，為母親在時裝店裏裁縫了幾件旗袍，由於是出自專家手裁，使母親穿在身上，竟然跟她自裁自縫的旗袍一比，判若兩人，母親嬌小的身材，在玲瓏中顯得時髦，為了能襯配得體，我建議母親該把那個舊式的「春卷」髮髻換掉，並自告奮勇當她的梳理及髮髻設計師。記得母親當時即考慮到一個問題：「妳出嫁後，我的髮髻誰來理？」

我出嫁後的心思，就這樣跟母親的髮髻牽繫著，每當清晨，對著妝鏡，總遙想著娘家的母親，正為著髮髻煩心，常想母親為我付盡心血，而我卻未能為她效這個「小小的勞」，愧咎常湧塞了我的心頭。

母親生性簡樸端莊，繁重的家務及世事，從不曾使她披頭散髮過，一頭黑溜溜的濃髮，永遠梳得貼貼當當，該彎的，彎得巧，該直的，也直得帥，但打從我為她改梳了那個說是「新型」的圓髮髻後，她便自己莫能為力了，常常梳上兩個鐘頭，還是不能稱心，最後還是無可奈何地讓我為她梳紮，而每次梳完，她總似有萬般過意不去似的心懷，拉著我的手說：「阿玉真能幹，偏是這雙手怎麼也吃不胖？」

清晨，片刻中的一片刻，是我與母親不曾間斷的一小聚，在薄薄的晨風中，陽光不缺席地臨蒞窗口，貼在鏡中，光射在母親的髮屑上，黑亮的髮更亮，髮髻上的金針更亮，然而還是永遠抵不過從母親雙眸間閃出的光更亮。

唯有這一刻，才真實的是完全屬於母親的時光，為自己小小的打扮，對母親把一生皆奉獻出的原則來說，是奢侈而浪費的。

每天清晨，我總得催著母親坐在粧檯前，說是梳髮，倒不如說是片刻的「享受」

較妥當。

看她悠閒地摸摸雙鬢間的髮翅，扯扯紮紮的髮根，為我接過一隻一隻的髮夾，再拿起小鏡子，轉身照照腦後的髮髻，在小鏡子中摸索打交的絲網，最後插配上金針，整段過程，總不超過半小時，但它遺留在我腦海的期間，是長遠而溫馨的。

就這樣一梳，直梳到我出嫁的那個清晨，我披上嫁衣，真想再為母親梳梳髮髻，插上金針，再向母親告別，雖知縱使有千萬個的告別，還是斷不了那一絲剪不斷的掛念。母親卻婉拒地道：「別為娘家的事操心，今後夫家的一切，才是妳要盡心力為的。」嫁前庭座訓，越是增添婚後我對母親心中的愧疚；想母親生兒育女辛苦一場，到頭來連為自己梳個頭的福份都不忍享得。

偶爾回娘家，蹬上梯樓，卻見母親孤獨地在鏡前獨自紮髮髻，而髮髻繚亂，髮絲交雜，我心胸一陣辛酸湧上。接過母親手中的木梳子，我說：「我來梳吧！怎麼下午才梳頭？」

「早上梳過了，只是不能像妳梳的那麼好。一到下午就鬆了，只有再梳一下。」母親又說：「你難得回來，該坐下談談，不要為我忙了。」

我常爭取回娘家的機會；是母親的髮髻牽繫著我這一顆嫁女的心。

我再次把長髮剪掉，只為再替母親另編作一個髮髻替換，每次回娘家，就把在家中理好的髮髻帶回去為母親紮上，再把那個髮卷不齊的髮髻帶回家中來，細心梳理一番。

年年復月月，母親的髮髻長日在我的粧桌上與娘家的路途中來回，不倦不厭、不歇不斷。

一九八四年，母親中風臥床，髮髻雖已被擱置在一方，但它仍然被我用心照料著，常巴望母親有痊癒的一天，而髮髻也將有重顯英姿的日子。

此刻，再為母親佩戴髮髻，梳梳銀白飄髮絲，長別恨如髮絲千千，絞痛心扉，慈母的愛，純真如銀絲，徹達青天。

寫于公元一九八八年紀念母親逝世百日

悼亡弟：祖鵬

心中酷載著沉重的哀傷，成全了鵬弟生前的心願：「我喜歡睡在媽媽的這一邊。」彌留在世間前他又復述這份遺願：「把我安葬在爸媽墓旁吧！」

那天清晨，天陰陰，風雨欲來，我淚眼送他走了一段山路，又淚著眼把他的遺體送入爐化灰。黃泉路上他該已走遠了一小段路？我們卻偏還遠遠地向他呼喚？

那天下午我們含著離別淚，為他尋拾灰骸間的幾許舍利子，輕飄襲心的灰骸，息息入心胸，刺痛心堂。我們把骨灰捧入曇瓮裏，二尺不到的四方岩穴，竟是他從此安身長眠之處！不敢回首我們孩兒時，五十餘年的姐弟緣，悠悠歲月，不哀傷也哀傷。

鵬弟年小我兩歲，不幸卻比我先走黃泉路？生命失去了層序的悲傷，教我又茫然又悲憤。乾坤反倒的無奈，要我反先白燭鮮花祭祀他的亡靈；山城路難走，今後偏又得多走這一趟，心中的傷悲，從此更多加了一層。

父母的墓陵座落在楊光洼紀念碑側後，年年的烈士祭祀，父母亡魂英靈地沾了烈士的花香燭光。在愁雨飄飛的山城上，墓宇因著泣聲淚流，容易受催蝕腐壞。然歷經四十多年的父母墓陵，卻得以長年保存得嶄新，父母遺像前更是煙裊不斷，花果常新，這要歸功于鵬弟的孝心，四十年如一日不計風雨不畏日烈，山路上千回跋涉修得的心果。

今他長眠在烈士紀念碑後側，民族英雄魂魄，莊稷 孝子靈魂，當浩浩然共存在天地間。

我居孀時，鵬弟每通電話來，總禁不住哽咽在電話線的那一端。久久聞不到他的聲音，我知他又把衣襟沾濕了一角，我更知他心疼著斷腸姐人生路上的淒寂無了期。他與姐夫的感情摯切，我們姐弟的親情更深長。六十年的血緣相持相親著，為他回憶孩兒時，該是長夜深深還達漏更時。

記小時候，我與他年齡相距最近，他又是父母心中的寶，因寵慣而釀成他屈強的個性。偏他對我卻是百依百順，凡事以我的話是諾，父母偶兒的訓誡，還得依賴我從中酌旋！成家立業後，家中每有事爭執相持不下的節骨上，也總承蒙他接納我的陋見而取得共點。他對我的敬重愛載，使我身受諸多愛的感受中，更體會到它的濃蜜。在我激情的感動中，更因此而對他感激不盡，銘記終生。

永遠忘不了我們上中正中學那鑄刻在我記憶中的六個年頭：每天清晨我們姐弟相偕浴著清爽的晨曦起步，薄薄的晨霧中跟著遂漸高升的初陽，沿著行人稀少的勒道大街(C.M. RECTO AVE)上走，再踽踽地橫過寬闊的馬路，穿入有樹蔭庇護的扶西亞描仙道斯街(JOSE ABAD SATOS ST.)每當走到學校附近那有白碎沙貝舖地的網球場，我們便會相約不由自主地稍作駐足。環視鐵絲網上攀滿著的朵朵黃色牽牛花，爭相著努力往上爬。再探視網球場上的運動健兒，他們飛騰的英姿串成了我們姐弟共同往事裏的一圈回憶。

每日放學，學校後門警崗站邊的小隅，是我們相約的聚點，鈴聲響後，我能自遠遠的樓梯上看著他走在三五成群的同學中，嘻笑著向我走來。幸福的笑靨在他淳樸又年青的臉龐上綻開。

一九五九年我中學畢業，上學的路上只好彼此分道揚鑣。然能看著他從穿卡計短褲的小初中生，來到穿上長褲管身體遂漸茁壯的高中年青人。這段日子裏，姐弟間的內涵，已非只是限於血緣親情的連繫，而已是精神與心靈的互持互勉。

讓我深感遺憾且未能釋懷的悲傷，是我未能及時地阻擋他的一段婚外情。當他陷入萬劫不復的深淵，面臨難以抉擇的取捨，道義與責任的鞭打，在自我懲罰的痛苦中，鬱悒的情懷蝕虐著他的身心。雖知真情可貴；得來不易，但良知與正義更高價。

愧疚與虧欠的世間情，已隨他埋入冷穴。但願愛他的人，能為他作寬恕的赦免，因唯有寬恕，才是一切的解脱。

安息吧！我親愛的弟弟！

寫於鵬弟逝世一週年二〇〇二年

我的父親與戲班子

——謹以此文紀念父親逝世四十年——

父親少年時曾經擁有過一段輝煌的民間演藝生涯……。

由於父親總自揄著再怎麼精湛了得的演技、充其量也只不過是一位民間的「戲子」而已，認為並不值得啓齒。更甭談向我們炫耀了！不過，母親可並不這麼認為！她以「一段可歌可泣的奮鬥史」來為父親經歷的辛酸作至高的評價。她的敘述，讓我們從童年時，便在心中埋下一顆對父親敬仰的心，更讓我們因有著這麼一位父親，而終生引榮為豪。

父親三歲失怙，五歲失持。雖上有三位兄長、無奈家貧無能依靠。七歲時父親獨斷隻身投入村中的閩南戲班——「九甲」戲班學藝。從此歲寒天凍年初春暖，長年漫漫跟著戲班子漂泊演出。

從一村演到另一鄉，隔山巒逾河溪，混雜在戲班裡伴著鑼鼓，偎著笙笛共生活。當時所圖得的也僅只是三餐溫飽而已。不過童年時的父親，聰慧機銳，已有不同于一般稚童的思路。他負責任，且有積極的進取心，刻苦又耐勞。是以能在短促的訓練過程中，迅速地學得精練的武藝演技。

父親最初以武打的角色亮場。扮「哪吒救母」諸童角戲齣，很快地便在戲圈中走紅，聽説當年曾是四村五鄉人人讚不絕口的武打生！

渡過了困惑的年齡。父親在戲班子裡反串起「旦角」來了，無可置疑的，父親是以挑戰的心態欲與自個演技作非以尋常的考驗，更借此來定奪面對的演藝生涯。少年時的父親，俊秀端正，當他紮起頭插飾物，敷上粉黛胭脂，維妙維肖。他反串的旦角，舉手投足間皆俱有帝女高雅的風韻，是以名噪傳及五哩路，為當年的「名旦」之一。

父親不但演技爐火純青，唱腔工夫亦非凡了得。嗓音圓潤，中腔穩厚氣足。記得小時候我曾踮足在戲台前觀賞，而聽到父親為開場戲引喉的嗓子，就淹蓋過戲角的聲調。是以，在那個年代，父親曾一度被舉為南音曲旦之魁。

悠悠梨園歲月，雖錦伐翻騰，聲藝燦爍，惜莫能矇惑父親明智的心胸。有高瞻遠見的父親，在他正值登峰造極的演藝階層，卻坦然地回歸淡泊，轉而潛心研究樂器，最終集精于鼓板的掌握技巧。一番的苦心鑽研，終於獲得一個「鼓師傅」的顯赫頭銜。在我有了記憶的開始，大家對父親的稱呼，總是冠上了一個「師傅」的尊稱。不管是圈內人或圈外的親朋戚友，都如此這般地尊稱他，不知箇中情況的我，卻能肯定那是一個帶著極高威望的稱呼，是以，心中就此對父親存有一份既敬仰又畏懼的情結。

父親在戲班子裡熬過淒涼的童年，又渡過他成長期的青少年。漫漫的日子裡，嘗盡人生辛酸苦辣。然沉重的負荷，並沒有把他的壯志磨滅，盼望中的未來，依然緊扣住他堅貞的信念。

經過不停的探索與追尋，父親謀得一張南渡的手續，追逐著或能現實他底理想的目標，脫離曾伴他成長，帶著他流淚流汗的戲班子飄洋南渡來菲律濱。

腳踏在地生人不熟的菲律濱土地，另一種辛酸——「新客仔的滄桑」，在父親更寂寞的孤獨中，走出另一條迴然不同的人生來。靠著奮鬥與盼望，赤手空拳地打出天下，譜寫出父親當年艱難的謀生過程。

當父親開創了自己的事業，有了可觀的積蓄後，血濃情深的他，便為家鄉的兄長立室成「家」，而這一個「家」，終究是當年淪為孤兒的父親，一個遙遠的奢求著的夢。

家鄉有了田畝屋宅後，父親才娶妻生子，一個完全屬於自己的家，在年過三十後的中年，才在艱辛的步伐中擁有。

父親謙和忠厚，生活極簡樸。長年不變地著一身挺挺淨淨的白色波洛衫，配深暗色長褲，腳上一雙擦得濘泥不沾的黑鞋襪，頭上他總習慣戴上那頂硬殼的橢形帽子，對經年在外奔波的父親，它既能防曬，又有安全的防衛措施。在我的記憶裡：它就像電影中探險家走在森林裡，頭頂上不忘戴上的那一頂帽子！使他看起來好威風！

父親習慣在大清早，天剛露出曙光時，危坐在廳中的大沙發上，抽著那節已被時光摸磨得光滑的長煙桿兒。在靜寂又空蕩的黎明中，走入深不可量的沉思，是緬懷？是追憶？

臭臭的煙霧自他緊閉的雙唇間竄出，散失在幽暗不亮的室中。這時候，他的形象像清宮極權官吏，威望赫赫，高不可攀！

我最渴愛窺視父親抽煙前，那一段前奏曲；看他謹慎格格地把細膩分散的煙絲，捏在指端再揉成一團，小心地墊塞進煙斗孔裡燃燒。當條條的煙柱隨他的一吸一呼冒出，它們蠕動得像一群嵌著生命的小動物：充滿著生機！此時的我，會在心中莫名地激盪出好多的憧憬來！

父親自與戲班子脫離後，便轉入商場，同時為鄉里的福利謀求擴展，因德高望重被推薦為鄉會之長。

一天，突然家中來了很多聽說是剛從家鄉來的陌生客。原來戲班子裡有一部份人馬已遠渡南洋來。他們正張鑼起鼓地重整戲班子，要求父親助以一臂之力。因體恤事關及大夥兒人的生計，父親不忌現實中環境的懸殊毅然答應義務為戲班每場的演出作開場起鼓，非但酬勞贈紅分文不取，演出期間的餐食也不忍分享，寧願讓母親每每待到深更再為他張羅宵夜充飢。

在這段期間，咱們家中屢有戲班裡的人士走動，但來往接待中，也僅止於拜訪問候等聯繫。父親對我們諸兄弟姐妹們的期盼，但望能培養出獨立的思考能力，正確的品格，有成熟的思想，以理智去開創完全不受環境所左右的未來！雖然如此，父親血液裡的藝術細胞，我們發現依然能在弟妹們的身上看到其遺傳基因！

記得大陸變色後的一個蕉風椰雨，從家鄉捎來訊息，得知全部的田畝已被土改！父親為此憂鬱寡歡，愀愁終日不能釋懷，正是一生的勞碌所積，於轉瞬間消失，心中所受的沖擊難免未能撫平。

一夜，就在戲齣剛起鼓的過程中，父親因積鬱又辛勞，便在戲場上腦沖血，溘然與世長辭，享年六十七歲，就此為戲班的興衰起落鞠躬盡瘁。

父親一生高風亮節，設靈期間竭盡哀榮。戲班眾師兄弟哀慟地為父親居孝服送山，安葬入土後，更情殷地年年冒清明紛紛的細雨送來白燭鉑錢祭祀。

總歸六十年人生路，父親投予戲班的情懷；是情至義盡，而戲班亦賦予相對的情義，無論是共處在風雨同舟中，或劃分在各奔天涯的境界邊，都可用義薄雲天來歌頌。

中國民間一直流傳著這麼一句對演藝者的貶言；即「戲子無情」！

然在父親一生的親歷過境中，我見證了浮沉於藝海中的演藝者，他或她同樣能凜然地擁有能泣鬼神而動天地的靈魂。

父親仙逝後四十年中的每一個日子，我每觀賞於台灣歌仔戲，閩南九甲，或京劇時。父親凜然的影子，便清晰地映現在我的腦幕中，他不卑不亢，不屈不撓的精神，有如一盞光芒四射的明燈，永恆地點亮在我的追憶中。

平凡與菲華文藝

赴過黃安瓊社友的新書發行會，於五月間又參加過蘇榮超社友「都市情緣」一書的發行儀式。此時剛由小四社友的小說「上帝的手」及散文「掌中漢字」盛大發行會中走出，心中充滿感恩的喜樂，鬱積在我生命裡的重重遺憾，因看到燦爛的文藝花朵綻開盛放，而紓解煙散。在人性追尋無窮的貪婪中，卻難免又加了一句：「今日若平凡還在，那該有多好！」

為文藝而開拓文藝：是一個熱愛文藝者單純努力的方向，更是畢生不變的追求目標，那份不計回報的真誠付出，正是永活在我心中的平凡，一面透明的人物寫照，為真、善、美的構想，是他不斷追求的一個不休止的符號。

文藝永遠是他的至愛，直至生命的火焰熄滅。由於文藝包容了人生中的攏總；愛、恨、理想、抱負、盼望、喜悅、哀傷。在無涯的文藝領域中，他獲得了至高的滿足。

年青時，他不遺餘力地為文藝的傳播而奔波。他青春的熱血，沸騰在詩精湛的浪潮中，他年青的活力，在文藝的園地上不歇地犁耕播種。寫作對他產生了不能抑制的吸引力。文藝成了他生活中的軸心。把擁有的珍貴時間，充盛的精力及感情作了全部的投入。

原則是他做人的方針，也是他堅守的立場，為文藝而創作，則是他在寫作道路上的原則之一。就因蓋於這條原則，他所耕耘的辛墾文藝園地便一直朝著純文藝的方向與立場走。

當他還處在中學時代，即本著一顆對文藝執著的愛好，以真誠的熱愛向新閩日報借得了每週末發表一次的文藝版位，以辛墾集的版頭，刊登他個人自編、自寫的作品，以不同的筆名，抒發內心中豐富如礦的感情，樂而不倦地埋首在優美的自我創作中，週復週，月復月，慢慢地終於得到了志同道合的文藝愛好者的迴響，相繼投來稿件。在菲華寫作的廣闊原野上，他更鍥而不捨地招募凡文藝情有獨鍾的青年男女，不論是在校的學生，或就業的社會青年，都是他關切的寫作夥伴，而按址逐家挨户地登門要稿：更為今日多少在文壇上享有盛名的當年夥伴，留下深刻難以遺忘的美好回憶！

經他真誠的邀請和開誠的歡迎，辛墾集終於逐漸擁有了一群對寫作抱著無限幻想和熱愛的青少年：他們有庭賢、春明、白凌、林榮快、寒松、雲龍、李炳武等。至一九五八年辛墾正式組織成社，社員的陣容拓大，作品素質亦不凡，計有雲谷、藍燈、靜銘、淨雲、秋文、晨夢子、忍冬、海嘯、海雁、李亭、幽蘭、朝陽、蘊蘭、佩芬、和權、秋笛、吳勝利、一匡、陳金山、若迅、凡人、劍虹、浣紗女、施愛月、奕基……等等。處於自我內心的劇烈呼籲：這群青年人真摯地敞開遼闊的心胸，以容納面對的更多的挑戰，以堅毅的筆，書寫來自智慧的源泉；是以多少感人的散文，詩作得以展現在一個年代的序幕上，不僅為文藝的路程作出貢獻，更為菲華文藝的里程碑作了最忠心的見證。

當年辛墾的版圖，有新閩日報的「辛墾集」華僑商報的「採擷集」，大中華日報的「風歌集」，公理報的「市聲集」及大中華日報的詩的園地——「詩葉」，不久又於華僑商報增闢一個「默社」，定期刊登諷刺性的雜文，後來又與「飛雲文藝」聯手出版「辛採集」。

在文藝活動方面，則曾多次分別假中正中學(中正學院前身)課室，及血幹團總部舉行學術講座，講員有王福民、朱一雄、王藍、王生善等著名教授及作家，並與「學林」，當時華社一個很活動的科學團體結成姐妹社。聯合舉行多次科學，哲學及文藝綜合性的學術講座。

至於辛墾社的叢書：有庭賢的詩集，雲谷的詩集：「黑色的回音」，辛墾社的集團詩文選：「辛採集」，以及林濤的散文集：「再生日記」。在那個社員們還完全沒有經濟基礎的年代，辛墾社的叢書成績：可列於輝煌的記錄。

辛墾社的編輯工作，一度由幾位忠堅社友輪流編排，但以一匡社友的任期最長，亦最為繁重艱辛，他一臂獨挑起辛墾社數個版位的編輯任務，任勞任怨，其對辛墾社的「勞」，無以倫比，其「功」更不是任何的「譽職」可以代為顯彰的。

與其同時在菲華文藝界活動的諸多組織，有新潮文藝社：成員有雲鶴、劉一氓、明澈等，菲華文藝聯合會（簡稱文聯）：有施穎洲、林忠民、楊美瓊、莊良有、黃珍玲、施約翰、謝馨等，後期改稱菲華文藝協會（簡稱文協）。增加會員有王錦華、月曲了、劉純真、董君君等。耕園文藝社有會員：王國棟、小華、陳默、林泥水、丁德仁、王錦華、曾幼珠、月曲了、劉純真等。晨光文藝社：會員施青萍、張燦昭、白雁子、蔡長賢等，在這段時期，菲華文藝光景一片燦爛，作家詩人輩出不窮，其鼎盛的狀況，保持到菲國實行軍統政治，報社被迫停刊，文藝的氣脈沉靜消失：這段時間，可劃為菲華文藝的第一階段：

軍統之後的八十年代初期：文藝復刊，當時辛墾社與耕園文藝社攜手聯編「菲華文壇季刊」，一時傳為文藝界佳話。於籌備及出刊期間，耕園社長王國棟先生及諸同仁，陳默、林泥水等及辛墾人，經常聚集於中山街一間雅緻的小餐館，共商有關推展文運商討事宜，聚會中當然不忘舉杯論詩，徹夜通宵忘歸，是因「酒逢知己千杯少」所累。猶記得一次，我陪平凡逛王彬，路經中山小巷，途中平凡被王國棟先生「截走」了！隨後王先生很禮貌地用他豪華的賓士轎車吩咐司機把我送回家！為了文藝的發揚光大，王國棟先生願意付出代價！

菲華文壇季刊發行四期，即因王國棟先生不幸離世及其他因素而告停刊，唯能告慰的是經這一段的相處，辛墾人及耕園諸仝人，因志趣相投，而成了莫逆之交！不僅在文藝的論壇上，相敬相持。在私人的感情裡，更融洽雋永，彼此間情重義更重。在這段時期，王彬橋邊的「大排檔」經常是他們排遣詩興的營地。後因認為有諸多美中不足處，和權君便遊説大家合資開設一間小餐廳兼茶室，作為今後大家聚集的地方，於是：「稻香村」一個充滿詩情畫意底名字的小餐館，冒出在中山街喧鬧的一隅。所幸餐廳裡簡樸粗陋的桌椅，道地的家鄉小菜，讓菲華詩人墨客視為世外桃源，自此館裡座位上有文人的稿紙，桌上有詩人的推敲，隔著一扉玻璃門映入眼簾的是行色匆匆的人潮排龍陣的車馬！俗云「書中自有黃金屋」的千古佳句：此際方知不是虛幻的假設。

「稻香村」：牽繫著多少菲華文藝界人士的思念，雖時經二十多年，卻仍然能緊緊地把我們帶到那好遠的一段回憶中……。

憑著詩人作家的一股豪爽之氣，「稻香村」，匯集了一群傾心於詩作的詩人，他們創作五四時期的新詩風格：有歌謠式的白話詩，模仿印度詩哲泰戈爾風格的自由詩，有律詩改革的押韻新詩，象徵手法的現代詩，還有散文體的散文詩等詩作，在這個時期，可説是菲華現代詩的黃金時代，在鼎盛的期間，應運組織的詩社：有於一九八四年成立的「河廣詩社」：成員：蔡銘、寒冰、詩雁、張斐然、孤鵬、心簡等及一九八五年年底組成的「千島詩社」。千島詩社幾乎羅集了菲華詩壇上的精英於一堂，其社員有早期「自由詩社」的月曲了，南山鶴、莊垂明等，後有平凡、陳默、高陵、白凌、吳天霽、文志、和權、林泉、王勇、張靈、曾幼珠、佩瓊、幽蘭、王錦華、江一涯、小根、王仲煌、卓培林、浩青、謝馨、一匡、靈隨、劉氓、許露麟等會員，後期又有台灣名詩人加入陣容：如張香華、林燿德、羅青、蕭蕭等，陣容之盛，可說在菲華文藝史上前所未有，亦可說是最具有代表性及對詩運擁有推動力的詩社。

千島詩社初期不設社長，僅安排一位財政，三位編輯：以聯繫整個社的經脈，後因於一九八五年第二屆亞洲華文作家協會在岷市舉行，鑒於會務所需，即推平凡為社長，月曲了為副社長，林泥水及江一涯為秘書長，財政白凌擔任，主編則由文志擔任，職位及會務的分配平均健全，是以在該次會議之後，千島詩社隨即舉行一場現代詩講座，邀請飲譽國際的韓國詩人許世旭博士主講，其後且連續舉行了不少推展詩運的活動。一九八七年曾配合「王國棟文藝基金會」、「辛墾文藝社」、「耕園文藝社」，創辦「菲華現代詩研討會」，邀請台北詩人團：洛夫夫婦、白萩夫婦、向明夫婦、張默夫婦、辛鬱夫婦、張香華、蕭蕭、管管、許露麟、連寶猜等為會中貴賓及講員。分別假中正學院大禮堂，菲華商聯總會大禮堂，菲華文教服務中心：舉行數場文藝講演，為近代菲華文壇，寫下一頁不能磨滅的「文運推動史記」。

於幾近半個世紀(自一九五十年代中期到一九九六年末期)，平凡經歷過菲華文藝每一個階段的起伏興衰。然無論是處於鼎盛，低落或寂靜的期間，待人處事，他始終堅毅不渝地保持著對文藝著作的熱愛。坦誠熱心、謹慎認真是他的一貫態度。在他有生之年，覽閱古今中外書籍，不僅所及的範圍廣泛，且曾作精細研析，從中吸收文學養份，使得他的作品，承受得起時間的考驗及印證。

菲華文壇如一道掛在空際的彩虹，在它續紛璀璨的色彩中，有平凡揮過的一筆顏彩閃耀其間。此時他雖已息筆凡間，然借著此書的面世，闡釋他文藝的生命與菲華文壇的史記有不可分割的關連。

寫於二〇〇〇年九月十三日下午五時

輯三：小說

老年的夢

王太太愈想愈傷心，愈講心裏就愈憤然，滿肚子的氣，使她簡直快爆炸了！一隻手握成拳頭，在那張粗木質的舊方桌上拍！拍地打個不停，致使那張本就將倒塌的桌子，更是搖搖欲倒，還不時地發出咿——呀——的聲音來。

「阿春嫂，你替我想想看，這種媳婦倒教我懊悔起當初想得太週到了。」王太太喘著氣，一大顆一大顆的汗珠延著兩鬢流下來，臃腫的身子，由於過度的氣憤而抖顫。聽她敘說的，是王太太的一位遠親，她就坐在王太太的對面椅子上，這一篇話，她自己也不知道到底聽過幾回了，只是每一次當他又從王太太的口中聽到時，她總是覺得還是夠味道兒的，就像是一篇古戲似，那麼生動感人，而王太太也好像老講不膩似地，只要有人找她閒談，她就把這一套搬出來，從頭講起，講了再講，倒像是想把一肚子的怒氣從口裏吐出來，可是卻恰恰相反，每一次當她講過後，心裏就更加生氣了，有時候，就索性一把淚，一把鼻涕地亂揮了起來。

「算了，香港那種奢華的地方，那裏會有好的姑娘？當初，我就勸過你，還是在呂宋物色一個來得簡單。你偏偏不肯！」阿春嫂是一位五十的老婦人，頭髮已斑白，祇是還十分強健，瘦瘦的身子，像一根鐵板，硬朗朗的。每次王太太把自己的家事傾訴後，她也總是用上面的那一段話，作一個批評，也像是一個結論，其實卻是在顯示自己的預知罷了！說後就站了起來，跟王太太說聲「有空再來！」就走了。

僅三咪度寬的房間裏，就只有了王太太孤單的一個人。當她孤寂的時候，她就不期而然地想起往事，追憶起廿年來的一切，自己守寡了廿多年、辛勞了這麼一段長長的歲月，為的是什麼？還不是想到老了，有一房兒媳侍奉於側，滿堂的孫子環繞著自己嗎？但是，這一切卻已被這位自己親自挑選出來的媳婦打破了，甚至連自己深疼著的兒子，竟也敢怨起自己來！「他真是忘了？他是怎樣長大的？」王太太一想到那一天晚上的情形就傷心得淌下眼淚來，也恨得把牙齒咬得嘶嘶響。

她將永遠地忘卻不了那一個晚上的一切，它是那樣地使她傷心過……。

時鐘已敲過了十一下，可是她的兒媳婦還是遲遲未歸，她耽心極了！一個人站在窗前張望，外面的街道那麼暗，又靜得可怕，尤其是近幾天來，附近總常常發生搶劫的事情，想到這裏，王太太更是焦急得如鍋上螞蟻。

好容易他們回來，壁上的時鐘已是十二時過後。

「下次別這麼晚才回來，你們又不是不知道這裏偏僻，路上不好走」，王太太埋怨著，順手合上貝殼片的舊窗扉。

「才十二時呢！有什麼可大驚小怪的！」她的媳婦白了她一眼，批著身子走進房裏，砰地！把房門關了一個滿著，把王太太氣得臉色變青了！

「你……你說什麼……？」她的聲音抖顫得厲害，一隻手按在窗沿上，支撐著身子：「難道我作婆婆的就連一句話都不能說嗎？」

「我告訴你，你也別那麼野蠻，我們家娶你，是為了成家繼祖，不是讓你來為虎作倀的！你知道嗎？」王太太提高著嗓子，罵了一大套，半年來所積下的氣，一下子把它吐了出來，氣消了下去，她茫然地有一陣舒感，正起身欲返回自己的房間，她的媳婦卻隔著牆板在房裏大聲地喊著：

「倒霉！倒霉！」接著是扔東西的聲音，砰砰！碰碰地響。王太太的氣又升上來了，頭額上冒著汗水。

「你也該說她幾句啊！半年來，她簡直就不把我當上輩看待！」王太太拉著一直站在她身旁的兒子說，想教她的兒子替她出點氣。她認為兒子終究是自己生的，一定會聽從她的命令，不比媳婦，是從別人家裏娶來了，老是跟自己作對，違逆自己的意旨。

「媽！妳就少說幾句吧！她在香港玩慣了的……」她的兒子苦喪著臉說。

「什麼？你倒怨起母親來了……好吧」王太太急促地喘著氣，胸頭起伏著：「你們夫婦一鼻孔出氣，串起來對我一個……。難道你忘了母親是怎樣養大你的嗎？有了妻子就不要母親了……」王太太哭了，搥胸跺足地，她的心破碎了，她從不曾這樣傷心過，任何人欺侮她，她都可以忍受下來，但是，她無法可忍受當她一向心疼愛的獨子對她這樣的責怨時，她那顆脆弱的心創了傷，眼眶裏滴下了血淚，她無限的悲痛，比較她當初失去丈夫時更悲痛。

這一夜，她流盡了所有的眼淚。

隔天，王太太便堅持著自己搬了出來，雖然，她將會從此孤單無人陪伴，但是，她還是搬了出來，在一間小小的簡陋的粗房裏，住下來。開始信奉佛祖，唸經燒香，過著信女的生涯。

她的兒子照樣負責她每月的費用，可是，她的兒子已不再是她心底裏的好兒子了！她對他的期望落了空，十多年來期待著的夢，那一場幸福的，足使她陶醉的老年的美夢，已幻滅！

她寂寞，孤單，沒有成群的孫子圍繞她，也沒有孝養她的兒媳婦在側。甚至連陪了自己廿多年的兒子，也離開了自己的身邊！

她想著——這就是命運嗎？她的命運真的就是這麼惡劣？她日夕所希望著的，竟然脫離了現實那麼遠嗎？

王太太的心碎了！她的老年的夢，變成了煙霧，飄失在她的淒涼的晚年裏。

寫於一九六〇年年終

異教之交

星期六晚上，路過XX街的聚會所，當我看到一群一群的人潮，虔誠地捧著聖經，踏入那一扉寬敞的大門時，我不自禁地想起了雲美。

雲和我本是多年的同學，也是多年的知交，如果不是去年她突然地改信奉了基督教，又突然地一下子成為一位極虔誠的基督教徒的話，我相信一直到現在，我們還會是很要好的朋友。又如果我們不是老把宗教捲入作閒談的資料中，我們之間的友誼，也還是會依然存在著，而不致於消逝。可是，現在我們的情誼已是淡薄得如一盤冷開水了！這是不可否認的事實。

在學校裏，我們已不再是一對分不開來的老同學，在校外，我們不再是莫逆之交，當我們在街上碰頭的時候，甚至成了陌路過客，雖然，我曾為了這一份友誼的無辜夭折，而痛定思痛過。

去年的暑假，一個晴朗的星期天，早上我照例到雲的家裏去，這是我們兩個月暑期裏的老規矩，也是協定。這個星期，剛好是輪到雲陪我去信願寺的。我按過門鈴後，雲給我開了。

「仁，你自己去吧！我不再去了」，她穿著一身整齊的衣裙，靠在門檻上，手裏翻著一本厚厚的，嶄新的「新約翰」。

「幹麼？」我疑惑地望著她。

「我跟人家約好了，去做禮拜。」她滿不在乎地說，一面把奉「聖經」的手提高起來。

「你不是天主教徒嗎？」我問道。

「那是過去，現在我是基督教徒了！」她的嘴角掛著笑意，說著便逕轉入客廳裏。門輕輕地被風關上了。

「噢……」我跟在她的身後，走入客廳，「那也無所謂，宗教的信仰本來就是絕對自由的麼！」接著我誠懇地，但卻是幼稚地徵問她：

「那……你不再跟我去信願寺了？」

「不可以的！那是犯罪的事情。」她介有其事地說：「還是你跟我去做禮拜吧！」她長長的眼睫毛閃動了一下。

「嘿！你倒很聰明啊！如果佛教也跟基督教一樣的話，我豈不是也成為罪人了啦！」我笑了，她卻用大眼睛盯了我好一會兒。

以後，無論是在課室裏或在校外，她常常向我說教，也屢次邀我跟她去聽福音，她的態度是那麼的誠懇，致使我因為拒絕了她，而往往內心覺得抱歉萬分。

由於我係一位佛教徒，又由於我對福音總提不起興趣去聽，以後的每一個禮拜天，雲跟著教會裏的姐妹到教會去做禮拜，我則自己一個去信願寺。漸漸地我們疏遠了，不祇是空間的距離，連心也有了距離。

「仁，我很可憐你的靈魂」，一日，上完了下午的英文課後，難得我們碰在一起，便一道回家，在路上她沒頭沒腦地對我說。

「因為你死後的靈魂，將進不得天堂的門檻，」她一派正經地說，而我卻撲地一聲，不自禁地笑出來。

「那也不要緊，我可以到西天去，不是一樣嗎？我們還是可以在天上作朋友的」，我開玩笑地對她說。

「西天？」她的眼睛矇著一層厚厚的疑塵，不屑地望著我：「那是捏造的！」

「難道你就敢肯定地說：天堂就不是捏造的了？」我用帶著訊問的口吻反駁她。

「當然！聖經裏記載著！基督聖經裏的話。即是神的話，神的話，是世人所不可否認或抹煞的。」她神氣地說，兩片紅潤的口唇，隨即緊緊地閉著。

「但，聖經是不是由世人抄寫出來的……」我欲再說下去，但她已走在我前面的六、七步遠了！我只好單獨地漫步在黃昏下的柏油路上，內心湧起了一陣莫名的難過和傷感。

星期六的上午，學校照列僅上兩堂的課。我和雲照例地到老地方去——小餐館，坐在我們的老位置上。她沒有開口，我更不想說話，大家緘默了好幾分鐘。點心送來了，她埋著頭，在祈禱。我靜靜地等待她、然後同時用點心。

「仁，你可以告訴我是什麼原因使你不願去信上帝的？」她一口氣的說出了這一句話，一邊用手中的巾紙擦著叉子。

「你不是這樣說過的嗎？信了上帝，世人所犯過的罪，將可以獲得赦免？」我放下手中的冷開水、說道。

「是的！」她點著頭。

「但是，我沒有犯過罪啊！你要我信上帝作什麼？」我無限自負地說，接著我輕輕地笑出了聲音。

「上帝所說的罪，並不單指因你犯上頂多頂大的罪，而是指我們與生俱來的罪，何況難道您不曾犯過罪，如一言之失，一行之錯或一念之差，難道你從沒有過麼？」她態度嚴肅地說。

也許我有過，是過去或者會是未來？但我會讓良心來責備我自己的。」我接著說：「一個犯了罪的人，就應該接受懲罰，而絕對沒有理由去獲得寬容。寬恕一個罪人，或讓犯了罪的人因為祈禱而得到贖罪的機會，這無疑的，是在鼓勵人造罪。」我又接下去道：「同時，我認為自己的事，還是靠著自己來解決，不能仰賴別人。我們既然有足夠的膽量去作犯罪的勾當，為什麼我們卻沒有勇氣去接受刑罰呢？而要去做一個懦弱的逃罪者！」我用帶著溫柔的眼光看她。

她的手正翻弄著叉子。眼瞳發出逼人的炯炯的光。

「何況我還不是一個該殺的罪人呢！」過了半響，我又說。

「你沒有犯過罪，但你也是一個罪人，因為死是從罪來的，罪的代價，就是死。你說你不是罪人，你能不能說你就不會死呢？」她像一位傳教士似，那麼老練而順熟。

「噢……雲，那麼我問你，你現在可說是一位得救的無罪的人了？可是，你是不是就能免倖一死？不能的，耶穌信上帝，但是他被釘死在十字架上，試想，上帝的兒子況且不能免以一死，何況是你和我呢？」

「耶蘇的死，並不是因不得救而死，須知他是替世人贖罪而死的！」她咬著牙根狠狠地說，我知道她動氣了，無可奈何地，我只好把喉口的話，吞下去。

這一頓點心，就在不愉快中用完。

從這次之後，我總是盡量的迴避她，盡量的避免跟有她碰在一起的可能性。我們的距離越來越遠了，而且可說是背道而馳。

許多次，我發現雲總是故意在同學的面前，諷刺我，甚至使我啼笑皆非地指我為「魔鬼的信仰者」。

我不想再跟她爭辯了！當然也沒有作報復性地向同學們游說「上帝的不存在」論。因為我想，也許以前我對她實在有一點「不客氣」的過份，如果由於那一個過份而使我成為一個罪人的說，那我就應該接受這一個精神上的懲罰。

然而，我是不是就應該真是一個罪人？是不是我就必須忍受這種精神上的折磨？在一個短促的休息時間裏，我得到一個向她說話的機會，那時候，她剛巧單獨佇立在木欄干邊，我走近她，就在她的身旁站著：

「雲，讓我向你衷誠地說幾句話，可以嗎？」

她驚訝地轉過身子，又轉過去，依舊靠著木欄干。

「宗教的本旨，都是勸人為善，向好的道路上走，無論是天主教，或佛教，我相信基督教也是一樣，」我不知道雲是否在聆聽著，但我繼續地說下去：「然而，絕對不是為了去爭取更多更多的教徒，而不措運用各種手段及方法去排斥、諷刺、譏笑或譭謗異教。因為這也絕對不是一位虔誠的，算得上是一個教徒所應說的話，應做的事！」我抑制不住感情的激動，聲音抖得使我自己也覺得驚詫。

雲卻不理不睬地走開，我尷尬地獃在木欄干邊。直到上課的鈴聲響醒了我的腦袋。從這個時候開始，我發覺雲和我的情誼真的是消逝了，像過了的時光一樣，在現在已成了空幻！同時。我方發覺兩個不同宗教的朋友是難以長久的。除非他們永遠地不在對方的面前談及宗教的教論來。我和雲就是一個例子，不幸的我們成了不同教徒的朋友，又不幸地我們總是將宗教作為談話的資料！

將近一年了！雲依然去做禮拜，去聽福音，我也依然在禮拜日早上去信願寺。

寫於一九六一年

椰島情侶

他赤裸的雙足，在沙灘上踏進了一連串深深的足印，海浪洶湧地澎湃，浪潮一卷一卷地掩抹掉他留下的足跡，沙灘上聽不到其他喧嘩的雜聲，除了浪音及當夜風瘋狂地鑽進蕉葉裏，所撩起一小陣短暫的沙沙聲調外。

月光下，他——描西溜・仙道斯，一位有壯碩的軀幹，漆黑的皮膚，儲著一頭泰山型底長髮的青年，村子裏榮譽地稱他為無敵勇士的拳王，他徘徊在浪邊，孤獨地拖著一條碩大的影子，在沙灘上踏著數不清的足跡，踱著，踱著，他踱著沉重的步子，踢著，踢著，他的趾尖已經踹起過很多的沙粒了！

他兩肢粗壯的胳膊，作著各種不同表情的動作，但這些卻很明顯地示露出他內心隱藏著的急躁。他的手腕不能插進低腰又狹窄的長褲褲袋裏，窄窄的兩條褲管，緊得好像將會裂開來，他的胸膛袒露在黃色上衣的外面，兩排扭扣，已經只剩下一粒了，半解的衣身只是掛穿在兩條手臂上而已，衣角像兩張展開的翅膀，隨著海風搖動。

浪聲沒有停息過，他望望遼闊的海洋，又望望椰樹旁的那條泥土小徑，那裏依舊死靜得像一條深谷裏的山道，毫無聲動。村子裏閃耀著的點點油燈光，還可以朦朧的看到。同時，他還可以看到那間他所熟悉的草屋，以及還敞開著的窗子。

他已經在這裏等候過幾個鐘頭了！煩躁的火燄在他的體內燃燒，他知道馬利亞——一位美麗的少女，他最初的戀人，不會來了！但是，她為什麼不來呢？是變心了！忘了這個約會？還是被她的祖父所監視？這些疑問和猜測，使他本就不寧靜的情緒擾得更混亂，他的體內又燃起另一把憤怒的火花。

煩躁，憤怒與妒忌的熱火在交熾，突然，他像一頭使出蠻勁的野牛，穿進椰林，在泥沙水道上飛奔，他的背後飛提起一撮一撮的沙粒。

他氣喘地跑到馬利亞的家附近，一排竹籬阻住他的腳步，他只得拐一個彎，打從矮竹籬上跨進去，像小偷似地，潛伏在窗下。痛苦地抑制住即將滾騰出的怒火。

屋子裏有咻咻的人聲，他聽到一個男子低沉微帶顫動的説話聲，他認得這聲音是屬于馬利亞底外祖父，一位瘦弱的老年人，馬利亞唯一的親屬。

「馬利亞，我的好外甥女，苗西溜只是一個勇敢的拳王，但卻不是一位溫順體貼的好丈夫，妳嫁給他，妳將會踏上像妳母親同一樣的道路」，老年人憂鬱地説，臉上積滿滄桑的條紋。

「噢，祖父。這不會的——不會的——苗西溜可不會是像父親一樣的人。」馬利亞跌坐在竹板上，頻頻搖頭，兩道眉頭皺在一起：「祖父，你為甚麼不能相信他呢？他會待我很好的！他也會把你當作自己的長輩來孝敬你，祖父——請你相信他吧！」

馬利亞的聲調已近乎哀憐，眼眶裏閃著淚光。

「我的好孩子，妳還是不懂事的！」老年人苦笑著：「妳母親以前何嘗不也是這樣跟我說的！但以後的情形，卻證實了一切都是錯誤的做法。」老年人嘆氣著：「我已經糊塗過一次了！我不能再糊塗地睜開著眼睛，看你又走上同一條道路的啊！」

「不，祖父，苗西溜會給我幸福的，他決不會像父親虐待母親那樣的對待我——要求你祖父……」馬利亞哀乞地求著，兩串淚珠從她圓大的眼睛裏流出，淌在衣襟上，她伏在老年人的懷裏，雙足屈跪著，悲傷地啜泣。

老年人傷心地輕撫馬利亞的頭，那一頭軟滑的頭髮讓他想起已逝世的女兒，她是因不堪受到太多肉體與精神上的折磨而死去的；「不能！」老年人冷淡而絕情的說，他的臉冷冰得沒有一點溫情。

他推開馬利亞的身子，冷冷的說：「回到屋裏去，揀幾件衣服，明天一早，俚洛太太會帶你乘火車到馬尼拉去，那裏你有一份優越的工作位置。」

「不，不，我不能！噢……」馬利亞悲痛地咆哮，雙手掩著臉，跑進她那間小得只有一張床位的房裏。

「馬利亞——不要傷祖父的心——」老年人望著她的背影消失在門邊的布簾裏，愁鬱地道。

馬利亞的哭聲越來越悲切。伏在窗下的苗西溜可以清楚的聽到。他控制住的怒火終於暴發了，像村子裏舉行拳賽時一樣地，緊捏著兩粒粗大的拳頭，一步登上竹樓，一腳跑進馬利亞家的門裏。

老年人驚訝地看著苗西溜那一副兇狠殺人相，正想奪門逃出時，但苗西溜粗壯而有力的拳頭已像雨點落在他的頭上，身上，忘命捶著揍著。

老年人使命地呼喊，搶喊救命，但僅僅只有一分鐘之久，他已失卻知覺，昏暈在地上。

馬利亞驚惶地從房內衝出來，她看到年老的祖父已橫躺在竹板上，血漬滿臉。她的愛人——苗西溜卻站在一旁，頭髮蓬散在額前，掩蓋去他濃濃的眉毛，兩隻眼睛佈著血絲，她怔怔地瞧著他，她這時候才發現苗西溜原來是這樣的一個可怕的人物。

「你，你——」馬利亞抖索的手指著苗西溜，過度的忿怒使她的喉嚨像塞進棉花似地，說不出話來，只是淌著淚水。

這時候，四周的村民已經給老者剛才的一陣呼喊所騷動，紛紛地從四面跑到馬利亞的家中。

屋子裏剎時聚滿了人，人聲嘈雜。幾個粗壯的大漢挾拖著苗西溜，把他帶走了！

老年人在人們的搶救中，蘇醒過來，當他看到馬利亞跪在他的身旁，向他懺悔時，他的嘴角裂開了笑痕，然後帶著一顆安寧的心，脫離了人間。

一九六〇年十月

退婚

週末，我任職的那家公司照列上半日班，接近中午時，老同學馬榮美忽然來找我，那時候我正為了尚有一疊待清理的文件堆積著，內心焦急得團團轉，連氣都難得喘過來。所以當榮美坐在我桌檯前那張靠背椅上，管自娓娓不休地說著幾位同學的近況時，我便只有勉強含糊地吱唔過去，其實她到底跟我談了些甚麼？我壓根兒一句也未曾聽進去的！

也許榮美已識破我的真相，對她的侃談我根本就是心不在焉地應著的，只坐了十多分鐘，她便知趣地站起身向我告辭了，臨走時，她忽然又告訴我說：「雲燕跟偉傑要退婚了」！這真是打從空穴來的消息！

「甚麼？」我覺得萬分的驚詫，這簡直是絕不可能的事：「你那裏抓來的消息啊？」我疑惑重重地問她。

「雲燕親口告訴我的！信不信由你，榮美得意地揚起眉毛睞我一眼，又嘟起咀唇理直氣壯地說：「外面風聲傳得勁呢？大家都知道了，只有你還在鼓裏。」

榮美對我咧著嘴巴嗤嗤地笑，我還是懷疑地瞪著她。

「不相信嗎？你可以去問她的。」她用眼睛瞟了我一眼說，轉身走向大門，高跟鞋在地上發出滴滴答答的聲音。

榮美走後，我再也沒有心思去繼續清理那些文件，情緒紛亂得很，「雲燕和偉傑怎麼會鬧退婚的？」這個疑問在我的腦海裏轉著，雖然榮美已肯定的告訴我，但我還是半信半疑，這究竟使人太覺意外了！於是我決定下班後，找雲燕談談，以明白事情的真相。

好不容易等到十一時正，一下班後我便急不及待地搭的士往雲燕的家去，途中我想著雲燕和偉傑認識的前後，和他們戀愛的過程，直至訂婚為止，這期間經過了多少的波折和阻攔，可說是荊棘重重啊！現在卻反而要退婚了！真是天曉得！

的士在我指定的地方停下來，雲燕的家沒有多大改變，只是門牆比以前顯得古舊一些，且有點衰老的情態。

站在火熱的日光下，我按了好一陣門鈴，女傭才出來給我打開門鎖，請我進去。

樓下一個人也沒有，我便直截地蹬上樓梯，熟悉地摸進雲燕的臥室，房門虛掩著，我輕輕地推開，一陣爽涼的冷氣，迎我襲來，房裏冷得人舒服。

我吁了一口氣，真是天保佑，雲燕沒有出去！

朝街道的那只窗口，被百葉窗蒙蓋著，房裏的光線暗淡得很，只有梳化檯上的一盞小燈，發出微微的光芒。

雲燕坐在梳化椅上，正用刷子緩緩地刷著她那頭柔軟微曲的頭髮，我幽魂似地突然出現在梳化檯前的大鏡子中，把她嚇得靈魂飄散，尖叫了一大聲，當她看清楚原來是我時，便像發性的野獸似地向我撲來。

「死鬼啊！你簡直想把我嚇死啦！」她一邊用纖指在我的臂上扭著，一邊尖著嗓子像唱戲似地拉著長調子。

「得了！得了！別唱戲給我聽了！」我移開她的手腕，便一屁股賴在她那張裝有螺旋鋼的軟床上。

「哎呀！誰有空給你唱戲……你可別阿Q啦……」雲燕還老態不改，婆婆媽媽嬌嗔不已，身子像山風中的柳條，搖曳地踱著步子。

我扳下她放在纖腰上的手，把她拉過來，我們並排坐在床沿上：「我們談正經的！聽說你跟偉傑要退婚了，這是真的嗎？」我問她。

「原來是這個！我還以為有甚麼大嚴重的事」，雲燕依舊是那副滿不在乎的神態。

「難道這是真的了！」我若然失望。

「嘿——」雲燕倒是很輕鬆地哼著，似乎這不過是一件芝麻小事。

「你們究竟是怎樣搞的？大家都不是小孩子了！」我帶著教訓的口氣譴責她。

「我坦白告訴你，跟他訂婚，我懊悔不及！」雲燕悻然地站起來，臉呈怒色。

「沒有人會同情你」我憤慨地道。

雲燕沒有理睬我的話，兩隻手交互揉擦著說：「我們認識的時間實在太短！在台灣二個月，馬尼拉一個月，一共才只有三個月，三個月！實在是不夠的！」她無限的感動。

「當初我不是提醒過你嗎？你還記得自己怎樣說的？「愛情是不受時間的限制，一見鍾情，尚能造成幸福美滿的婚姻，何況我們還有一月時間的考驗——」我背出以前她所說的話。

「愛情是盲目的，戀愛是迷糊的！但結婚就必須清醒，」她凝視著從梳化鏡中反映出的自己，滿有道理地說。

「噢！好一篇漂亮的戀愛理論！」我在內心悲哀地呼喊著。雲燕又拿起檯面上的刷子，輕輕地刷著著軟髮。

「不可挽回了嗎？」我探問她。

「我己決心了！」她的語氣很堅定。

「偉傑對你不是頂好的嗎？」我又問她。

「呸！對我好？」她重重地把刷子扔在桌檯上：「你不知道他的人多獨裁，專制，自私的！」她啃著牙根一字一字清晰的罵出來：「我簡直是他的俘虜了啦！甚麼都得聽他的命令，行動受他的束縛，一切得受他操縱，一點自由都沒有！你想，我豈不是成了他的傀儡！」接著她又幽幽地說：「沒自由毋寧死，但我可不那麼傻的去找死！」她快忿地說。

「也許他愛你太深了！」我道。

「這不是愛的做法，這是惡毒！你是不知道他有心理變態的，犯有虐待狂，但我很清楚的知道！」她瞪了我一下。

「你別亂說啊！」她越講越不像樣了，我欲禁止她地嚷起來。

「沒有人會相信我的話，但這是事實！」她忽然變得傷感而憂鬱，眼眶紅了起來。

「偉傑呢？他同意退婚嗎？」經過了一段很短的寂靜後，我的聲音打破了房裏寂寂的氣氛。

「我不知道！但我已跟他談判過，如果他聰明的話，就應該接納。我曾坦白告訴他過，我對他已沒有絲毫的戀愛，娶一個心不向他的妻子，他是不會有幸福的。」

「他怎樣回答你？」我接著問。

「他說讓他考慮考慮！」她俯著頭，審視著她那十隻擦過丹色指甲油的手指說道。

「你的父母啦？他們不反對？」我詢問地。

「我的母親對這樁婚事自始至終就是反對的，當然沒問題，我父親麼？只要我母親贊成，他也會跟著贊成。」雲燕的臉開始有了一點笑意，剛才的忿怒已逐漸消失。

之後，我們談了一些閒事，雲燕又恢復了她原來的活潑，天真爛漫地，笑聲又離不了她的嘴巴。

「我以為你死了呢！幹麼這麼久連影子都沒見了！」她的嘴很尖，說出來的話，更尖得傷人。

「別倒霉，人家亨運正通呢！」我埋怨地道。

「噢！發了橫財嗎？抑是走私成功了！」她躺在床上笑做一團：「哈！哈，看你一派惇實相，倒也會吹牛放屁！」

「好啦，請你別胡吹亂叫可以嗎？我要走了！」我站起來，繃緊著臉皮，裝出生氣的樣子。

「嘿……甚麼時候再來？」我剛拉開門，雲燕把我叫住了。

「看我甚麼時候高興來！」我輕扭過頭去對她說，順手把門關上。

踏出雲燕的家門，我的心情沉重得如千斤石。

一對共過患難的情侶，照理應該更深切地相愛的，縱然海真的枯了石真的爛了，此情亦應永不渝啊，然事實則不然！

他們曾為了愛情而苦悶，為了愛情而煩惱，現在又為了愛情而悲痛，怨恨，是他們玩弄了愛情？還是他們都被愛情所玩弄了？想起以前的前前後後，我不由得啞然失笑了。

那時候，我和雲燕同時在學校裏被錄取在回國軍中服務的名單中，至於偉傑，他則是宿務某一中學裏的兩位錄取生之一，在分隊的分配中，我和雲燕配在同一隊中，偉傑卻是過後才插進我們隊中來的，由於偉傑長得英俊，而雲燕又生得俏嬌美艷，在聊談中，我們便常常湊趣地把他們撮在一起，的確的在任何人眼底裏他們是天造地設的一對。

兩個月的朝夕相聚，雲燕與偉傑果然假戲真做，時間推動了他們的感情，推近了這兩顆心。

炎暑的尾聲，我們被軍艦載返岷里拉來，紀律化的軍中生活漸成回憶，蕉風椰雨又再度向我們的身上吹打著。

雲燕與偉傑依然是一對戀人，太平洋的巨浪並沒有沖散他們留在月光下的倩影，蕉風椰雨也沒有把他們熱熱的戀情吹冷。相反的，陽光的微熹更溫熱了他們的心房。

一個月過去了，他們便閃電似地躍上婚姻的論壇上。

然而，意外地雲燕的母親卻反對了！事情就難堪地僵擱了下來。

這時期裏，雲燕終日廢寢忘食，時光沒有帶走她的青春，然而煩惱與憂鬱卻摧殘著她，短短的時間內，她已失去了往昔的美麗，我為他們的痴情相愛所感動了！

那時正值新潮流中的青年男女高唱「反對封建思想，」祇口號的最高潮，生命力蓬勃的我當然也受感。

雲燕被軟禁後，我自告奮勇地負責他們書信的往還，為了這份不好幹的差事，我絞盡腦汁，費盡精力和時間，最後幸虧倉天不負有心人，他們成功了，擇日訂婚！

但誰又會意料到，僅只過了半年，卻鬧退婚了呢！

又是一個週末。

這日正當我在翻閱報紙時，發現一則觸目的退婚啓事，雲燕與偉傑真的退婚了！

從我心底湧起一陣不帶同情的悲哀。

本來我還打算下班後找偉傑談談，說不定事情還有挽回的餘地，現在只得打消這個念頭了。

下班後，我直接取道回家，享半個安適的週末。

寫于一九五九年

課室裏

數學老師把教科書夾在腋下，背上巨型的三角版，氣憤憤地走出課室，形態活像背了十字架的耶穌——祇差缺乏耶穌那種超越的涵養。

沿著走廊走了十幾步，還可以聽到他用低濁的湖南腔調一路喃喃自語著：「簡直像菜市！簡直是菜市！」

豈僅是像菜市而已，說句坦率且公道的話，我們這一班有點像「百家莊」，不但群集了中西古今之聞人於一堂，且窮搜了普天下之絕技。軼聞之多，誠足以編寫一本「人海微波」。

高中三年，正是中學生底登峰造極的階段。尤其是在將臨學期結束的時候，就宛似是一個朝代的末期，處處顯得紛亂無常。老師固然自動寬鬆在功課上對學生們的要求，同時在操行上也是頂講人情的。而作為學生的我們，可就巴不得能有這個機會，自動自發地把求學的精神鬆弛下來。

十分鐘的休息時間剛開始，整間課室便刹時天翻地覆。

班裏的「火箭專家」許書文，又開始大量製造其火箭了。他的產品不但火力足，而且發射時異常準確，大家都鼓勵他不妨向世界諸列強宣示一下，可是他卻不求聞達於諸侯，寧願做一個「火箭隱士」。

今天，許同學所發射的第一枚火箭，有點不對勁！剛越過女生邊界，機器突然失靈，在半空中翻了一個筋斗，直插進綽號「第一夫人」林英華那梳得高聳入雲的「查克林式」的髮窩裏。「第一夫人」頓時雌威大發，一手扒下那枚插進髮坑裏的火箭，叉著纖腰，兇狠狠地嚷：「誰做的好事？快報告出來！」可是男同學那邊卻鴉雀無聲，大家都拼命地扼緊鼻孔竊笑。林英華氣得頓失「第一夫人」的風度，衝過禁界，站在一大排男生前激昂地大發其閎論：

「是英雄好漢的，就得敢做敢當！」很使人傷心，班裏竟沒有一位同學願意做英雄好漢。再看許書文，他一手托著面頰，一手翻開還擱留在桌上的解幾書，一副漠然的神態，真是名附其實的「火箭隱士」！

「算了吧！火箭的機件中途失靈，緊急降落，也患不得宣戰呀！」「燒肉粽」蕭曼燦挺身出來調解，但好心卻不得好報，立刻遭受到林英華的白眼，討個沒趣。

「義士，你告訴我是誰射的？」林英華轉移目標，直逼著班上的「叛徒」王一典窮問。王一典剛開口，眼睛兒卻碰上了許書文的患難知交：「大力士三遜」胡建鋼的大拳頭，無可奈何，只得把嘴巴再閉上，聳聳肩，彷彿在說：「心有餘，而力不足。」

王一典除了「義士」外，還有幾個更堂皇的綽號，如「情報員」，「間諜」等，班裏的秘密或是同學間的醜事，無一能逃避過他的耳眼，更糟的是無一能幸運地不被他宣揚出去。上週一，全班同學被罰站了一堂，即是王一典向訓育處所告的密。這一次，課非但沒罷成，反而先受罰，大家都恨得牙癢癢，一些同學把這次的「恥辱」稱為「毋忘在莒」，藉以記住王一典的罪狀，以圖報復。

「王一典，你再開口我就送你到『王土州賣蛋』！」不知是誰說了這句話，「叛徒」猛然扭過頭，但已聲跡杳然。「情報員」頓時臉紅耳赤，在同學們的哄笑中，他像一個被戲弄了的大姑娘，含恥帶恨，匆匆地溜出課室，大概又是向訓育投訴去了。

林英華眼見「我軍大敗」，只好乘機收場，抽兵返國。

坐在最後一排的「大文豪」高嫻嫻，依舊泥醉在「戰爭與和平」中，「不管他人瓦上霜」是她底立身處世的座右銘。

我走近她的座位：「嫻嫻呀！我看托爾斯泰寫這本書時，恐怕還沒有妳閱讀它的這段長時間吧！」她依然無動於衷。從玻璃窗上反射過來的陽光落在她的桌上，落在她底近視的眼鏡上，閃閃發光；兩片玻璃底下藏著一對規矩的眼睛。

我伸手把書暫蓋上，食指夾在頁縫裏，看過書邊，還是第二集：我重新替她打開書頁：「奇怪！妳翻幾遍了」？

她把眼睛慢慢地抬起來，懶懶地瞟了我一眼說：「我可不像你們那種走馬看花式的閱讀方法。」說完又把頭埋進書裏，不再理我了。

「噢！天主，又不打算寫評文，看得那麼認真作啥？」嘴裏老掛著「天主」的江雪影，詫異地高吶著，一副不服的表情，稚氣未除的臉上，剎時老成了幾分。我望著她感到很模糊，她幾時從一號跑到這二十四號的座位來？我竟然毫無所悉！敢且是她那位念念不忘的「天主」，駕著微風，靜靜地把她送來的？要不然，她那名聞全校的「巡衛兵式」的步伐，是不會發不出聲音來的。這時；

「起立……」班長幾乎嘶破了喉嚨，喊聲不像口號，倒像一列奪人心弦的警笛；緊接著這聲「警報」，同學們宛似逃避戰亂的難胞紛紛朝自己的座位上跑。

老師已站在講台上了，她額上的皺紋多得幾乎可以拿來排成一張方格紙。

「妳看，老師的新裝多美！」還來不及翻開教育書，曾增增在我底後背上偷偷地截著；她的指甲尖常常使我吃不消，以為是碰到了枚大鐵釘。我本能地把身體傾向前，預防她再次的襲擊。

「『畢加索』今天又有靈感了，」曾增增在我的腦後抑低嗓子說。倏地，她「嚇」地一聲嗤笑了出來，隨著她的笑聲，我好奇地把頭轉過去，朝斜排的座位一望，哈！好神氣！「畫家」黃青青同學倒是無所顧忌，把筆記簿當畫版，全神貫注地為講台上的教育老師來幾筆素描。她那種「目無尊長」，「視若無人」的態度，難怪她老向同學們說：「我是教育老師特聘的畫家！」

抬起頭，這一下我才注意到穿在教育老師身上的，又是另一套新裝、剪裁適體的上衣配了A線型的時髦裙子，高貴又大方。走起路來，簡直可以跟在巴黎時裝表演會上的世界諸群芳相媲美！怪乎同學們將這堂教育課稱為時裝表演節；一絕。

「唉……」是曾增增的嘆息聲，頗悽涼的。

「何故？別是樂極生悲吧？」我沒有忘記背上平白給戳過的苦頭。帶點譏誚地問她。

「『樂極生悲』倒無所謂，成一回事的是老師那一大堆無法估計的服裝呢！」她一本正經地繼續說：「我奇怪她要怎樣處理它們？」搖著頭兒，接下去又是一聲長嘆。

「碎！無病呻吟，杞人憂天……」積了一肚子悶氣，正想發洩，恨不得把所有能夠派場的典故拿出來，說個痛快；突然……。

「曾增增，洪虹虹妳們兩位有話請到外面說！」教育老師的吆喝聲，也許是說得太快了，我們的姓名在她的口中彷彿是被唸作「叮叮叮，噹噹噹」。課室裏即刻響起了一陣多詞的聲浪；同學們在這方面的反應，總是很迅速的。

我驚愕得僵化在座位上，那一聲吆喝，簡直把我的魂魄趕上青天。除了聽覺外，週身的官感幾同時停止了活動。

「講解的時候，應該注意聽講……你們還有多少時日能再耽在課室裏呢？……」老師索性把課本合上，雙手按著桌邊，開始給全班同學訓起話來。

「鈴……」下課的鈴聲終於響了，這一聲，真是響得稱心愜意。整間課室像遭受到暴風雨吹殘的江海，把剛平息的浪潮又再激騰了起來。

下課後，同學們蜂擁著擠出課室。

當我收拾書本離開座位時，我禁不住回頭望一望課室：塗滿粉筆字的黑板；歪斜不齊的桌椅，滿是紙屑的地板。這也是一個為國育才的地方？！在這裏我也許會給未來留下了許多回憶和留戀，但這些回憶將會換來我對於「現況」的歉疚和追悔。

「我還有多少時日能再耽在這課室裏呢？」走出課室，我沉痛地詰問自己。但是有幾個將行畢業的同學曾想到應該去珍惜這一段的尾聲……像我？

寫于一九五九年

話 友

禮拜六的晚上，她最討厭，因為它老使她苦悶著。

家裏靜悄悄地，除了她和兩個女傭外，再也沒有第四個人了；偌大的一所屋子，現在顯得有點空洞。

父親來不及用晚飯就先一步走了，說是有生意上的「應酬」。奇怪！那些做生意的人，為什麼總喜歡把所有的「應酬」都排在禮拜六的晚上？也許是禮拜六的晚上比起任何一個晚上來得長吧？就以她來說，便有這個感覺。

晚飯後，母親帶了弟妹們去聽福音，一想到得在那條又硬又冷的椅凳上默坐幾個鐘頭，她周身好像爬滿了虱子似的，怪難過！晚飯時，她吞下了最後一口粥，便匆匆地丟下筷子，躺在床上佯裝頭疼，賴著不去了；讓母親把弟妹們半拉半扯地架走。

敲過八點，她覺得無聊極了，坐也不是，站也不是，在屋子裏團團轉，想拿功課出來溫習一下，又想到今天是禮拜六，週末那有做功課的道理？同學們不是都這麼說的嗎？於是便打消了這個念頭。

她跑進廚房去，弄了一杯冰凍的可口可樂，安祥地躺在大沙發上，開始替自己構造一場美麗的，抹過彩色的夢，或幻想著自己正坐在寶殿上……夢和幻想已逐漸成為她的消遣娛樂，尤其是當她閒得發悶的時候，更少不了它；而它們的確也不曾辜負過她，每次都替她打發掉許多寂寞的時光。

「鈴……鈴……」一連串的電話鈴聲把她從幻谷裏喚回來，她恨得牙擦擦，狠狠地拿起聽筒：

「哈囉！找誰！」

「不找誰，小姐，我可以跟你做個『話友』嗎？」是一個男人底低沉的聲音，從聽筒的另一端傳來。

「見鬼！」她把聽筒狠狠地掛上，便又躺到沙發上去；但那個「夢」，可怎樣也接不下去了！突然，她想起了坐在她前座的女同學胡汀汀來，前天，汀汀告訴她，她交了一個「話友」，那是她亂撥號碼而幸運地交上的；她想，要是自己也像汀汀那樣有一位「話友」可以談談，該多好！

噢！她如夢初醒，剛才那個電話，不是一個送上門來的現成「話友」嗎？她很懊悔剛才的衝動，白白地把他辭掉了，糟糕！她望一望茶桌上的電話機，不斷地嘆惜。

「沒關係！」她自慰著：「汀汀能夠主動地撥電話交『話友』，為什麼我不能呢？說不定我會比她更幸運呢！」她把電話機扯了過來，放在懷裏，先默默地祈禱，然後閉上雙目，右食指便開始一個字一個字地撥轉著，鈴聲，在耳朵裏響起，聲音雖然很弱，但這時卻震得她心慌意亂。

「哈囉，哈囉……」是一個女人的聲音，她有點失望，正想把聽筒擱上，那個女人的聲音又響了，而且是潑辣的咒罵。

「哈囉！是那個王八蛋呀！」

「你才是王八蛋！」回敬了她一句，同時急忙把聽筒放下，她心裏想：

「真倒霉，碰上了衰鬼，倡倡找到『她』，唉！」

她頹喪地倒在沙發上，有點氣憤，但好勝心又使得她不甘就此罷休，再撥！沉一下氣，這次眼睛可要睜得大大的，她想：

「剛才一定是因為閉上了眼睛，才會碰上那個潑婦？！」

「哈囉！」是一個青年人的聲音，但願是一個大學生，她默默地祈禱著。

「請問美珍在家嗎？」一下子她的靈感突然降臨了，假借得巧到好處。

「妳打幾號？小姐，我們這裏沒有一位叫美珍的人。」對方蠻有禮貌地問。

「我打三〇三一二號啊！怎麼……」她裝出了驚愕又抱歉的口吻。

「號碼倒沒有錯，奇怪！我們這裏卻沒有這個人？」他大概已被困擾得莫名其妙了。

「那……一定是我記錯了，很抱歉。」她向他道歉，然後轉換了另一種輕鬆的口氣：

「那麼打擾你了。」

「哦哦，沒關係，沒關係……」對方一連說了好幾句「沒關係」，她想笑，她猜他一定是一個頂規矩又老實的好青年，真值得跟他做「話友」。

「既然不會打擾你，那麼我們談談好嗎？」她一下子突然變得很老練，心不再跳，掌心也停止了淌汗水。對方有一陣子的靜默，終於又說話了：「好吧，談談也好。」

壁鐘敲了十一下，她還是握住聽筒侃侃地談個不休，直到家人都回來了，她和他才依依不捨地互道晚安，約定「明晚電話裏再見」。

整個星期的整個晚上她總是跟電話機依偎。

又是另一個禮拜六，在電話中，他要求跟她唔面，這就麻煩了，但她終於答應了他，約定明天下午四點在雙喜餐廳見面。他告訴她，他是穿著白波洛衫和白長褲，她差點笑出聲來，心裏想：

「十足是土包子！又不是要進教堂，幹麼穿得白雪雪的？」接著她告訴他，她將穿淺黃色上衣，配深黃色的百褶裙子；預先讓他知道她是一個跑在時代尖端的新女性。

今日的天氣特別晴朗，她起身時，已近中午。母親在廚房裏忙著；父親坐在客廳裏閱報；弟弟已跑到屋後的小巷裏去了；而妹妹，妹妹早已飛掉，這個小妮子，總有這麼多的好去處！

她打算先洗個冷澡再用早餐。打開衣櫥，想起那套黃色的衣裙，是摺疊在衣底下，必須把它找出來，拿去給女傭電熨一下。她伸手往衣櫥裏翻，翻亂了左邊再翻右邊，翻了又翻，怎麼不見了？死女傭！又不知把它埋藏到那個鬼洞裏去了，不如把她叫進來審問一下。

「米莉，米莉啊！」她差點撕破了自己的喉嚨。不久，女傭慌慌忙忙地來了，站在房門口，那對又黑又大的眼睛直瞪著她，簡直像是一個死不瞑目的吊死鬼！

「我的黃衣裙呢？」她以法官的口吻問。

「那一套呀？！」女傭驚慌著。

「還問那一套，當然是那套新的，從香港買來的電熨百褶裙子！」她被氣得差點要噴血。

女傭恍然大悟：「噢！已經被妳妹妹穿走了。」

「死人啊！死人啊！」她用右拳搥著自己的左手心，顧不得會把手撞痛，便奔到廚房去。

「媽，妹妹到那兒去了？」

「旅行。」母親正在炒菜，頭也不回地應著。

「旅行怎麼不穿長褲子，真是大反常啦！」她暴跳如雷，周身好比有把火燒得她想哭出來。

她氣憤憤地奔回房裏，「碰」的一聲，把門用力關上；不只冷水澡不洗，連早餐也不想用啦。」

「怎麼辦？」她把手指插進頭髮裏亂抓，一頭亂髮更好似為她帶來了許多苦悶。

「只有穿另一套」屆時再自我介紹一下……只要他不也改穿另一色的衣服……大概不會有什麼差錯吧……哈哈，真笨！怎麼剛才沒有想到這一點呢？」她開始縱聲大笑，一面深責自己剛才的愚蠢。

她重新拿出浴巾，哼著小調走進浴室。

下午四點正，她慢慢地推開雙喜餐廳的冷氣玻璃門，一個穿白制服的男侍領她到右邊最末的一張卡座；從這個座位向前望，正好可以窺見整個餐廳的全貌。

餐廳裏只有寥寥的十多個人，她開始在這十幾個人中間去找尋那個一定是長得頂英俊的青年人——她的話友——她緊緊地盯住凡是穿著白衣白褲的每一位顧客。這裏只有三個人有這種記號：一個是年方八、九的小孩；另一個是剛進來的年約四十開外的中年紳士；還有一個是佔有她左邊那張桌子的，約略三十多歲的「近」中年人。她轉過頭去細細地端詳他：一張稍嫌清瘦的長臉………她一看就覺得這個人一點也不帥，不帥當然就不可能是她的「話友」；何況距離她暗地裏替他斷定的歲數，就有一大段的差別。

她耐住性子再等下去，五分……十分……三十分，時間在白色底期待中消逝，她的「話友」依然不來。一種被玩弄的侮辱感重重地刺痛了她的自尊心，同時在潛意識裏她察覺到所有的侍者都把視線射在她的身上，使她侷促不安，走或不走？左邊的桌子，那個清瘦的男子居然還沒有走？奇蹟！為什麼到處都會有奇蹟發生？

侍者被招到那個男子的桌前：

「再給我一杯澄汁。」那低沉而有力的聲調……天呀！是他，是他！怎麼這個不帥的人會是他呢？

她趕忙把一塊錢扔在桌上，低著頭，匆匆地跑出餐廳，逃也似地直奔回家。家裏仍舊是靜悄悄的，妹妹旅行還沒有回來；幸好她把那套黃衣裙穿走，要不然，後果真是不堪設想。

走近客廳時，她一眼又瞥見那具臥縮在茶案上的電話機，此刻它留給她的印象是醜惡，十足的醜惡！距今午以前的那種感覺——美好——已經有了天淵之別；也許這就是「一個夢的期待」和「一個夢的幻滅」所帶來的兩種不同的感受吧？

「鈴……鈴……」電話又在響了，然而這道鈴聲已經再也不能扣緊她的心弦。

一九五八年六月中旬於文藝班中

僱傭記

這個月以來，我們這座住滿了四戶人家的三層木樓，又再度掀起了所謂「女傭荒」的難潮；雖然情形與「鬧水荒」的時期的苦難比起來是輕鬆得多了，但因它所帶給全樓裏每一位主婦的困惱，卻似乎是「有過之而無不及」。

人們的惰性與生活水準總是成正比的，所以越是居住在文明社會裏的人，越經不起勞動的考驗。然而，我們那位老是希望把「過去」拉到「現在」來重演的年邁祖母，可不明白這一條人性的定律，對於同樓住户們的紛亂情況，她是看得頂不順眼的。每次她聽到那些主婦們的咒罵和牢騷之聲，她會說：「大腳大手，有什麼事做不了，當初我們在咱厝時，就沒有僱傭人的福份可以享受，而我們還不是照樣地把一個家整頓得好好的？我們還要自個兒養孩子、服侍翁姑和照顧丈夫？有時候碰到豐收的季節，還得幫點田工哩。從朝忙到晚，誰敢說出一句怨言？咄！現今的人啊！可不同了！一天沒有傭人就蓬頭垢面地叫苦連天，真是好命得不得了啊……。」

祖母的這番憶述，使我由衷地對於生長在祖母那個年代中的女性底勤勞美德產生出至高的敬佩。她的能幹，足以使我自慚不如；於是，我開始思索到形成今日的女性們之所以比不上「早時婦女」的因由，而獲得了兩個結論；：一是優越的環境，往往會殘酷地割奪去人們的工作效率和埋沒掉人類的工作興趣；另一則可以說是當今的一般母親們所共有的經驗——現代的孩子比過去的孩子聰明得多了？我們知道，一顆聰明的腦袋，總是配帶著一副頑皮淘氣底性格的；因此，便需要多幾雙手腳來幫忙照料。於是，僱一個傭人來專門管顧一個小孩的風氣，便漸漸地在這華僑社會裏瀰漫開來，成為司空見慣。

當我們發覺到能以一塊錢的代價，換來一個人一日的勞力時，我們會聯想到，或許這是出於世界人口的突增而貶低了人類本身的價值？但奇怪的是在這都市中，卻又會鬧上「女傭荒」！為什麼呢？這個因由有待我們去追究。

提起遭受到「女傭荒」的歹運，我們這一家，該算是全樓裡最幸運的一戶了！因為我們那兩位好不容易才留了三個月久的女傭人，還是兩週前才辭工不幹的。本來我們還打算再半誘半勸把她們婉留下來；但是，這回的情形可與往前有天大不同了！

「太太，我們今日就要走了。」一天，家裏的那兩個女傭突然向母親提出辭職。

「什麼？不幹了！妳們不是幹得好好的嗎？」母親急壞了，連聲音也有點顫抖：「要走也得等待我們找妥當人來代替才行呀！」母親企圖跟她們商量一下，可是沒有用！

「不行了！我們家裏拍來電報，說我的祖母昨天逝世，我得趕回去奔喪。」其中一個淡淡地，若無其事地應道。

「那妳呢？為什麼妳也要辭職？」母親轉問另一個女傭。

「我們是親戚呀！她的祖母是我的伯母，當然我也得跟她一塊兒回去。」那另一個女傭眨動著眼皮，深恐走不掉似地反覆解釋。

回鄉奔喪是大事，沒辦法！我們總不能硬要把人家拉住，而害人家終生負上不孝的罪名。於是母親便只好「存壞」讓她們把木箱帶走了。

女傭一走後，可就真的慘了，儘管祖母在「當初」是多麼地能幹，也對「現時」的窘境一事無補！事到如今，我們唯有再吩東託西，請親友代我們介紹女傭人，以挽救當前的「危機」！

一定是得到菩薩的幫助？兩星期後，果然有兩個打扮得頂入時的少女來問津；要不是她們的自我推荐，我真不敢相信她們仍是要來找事做的勞動者哩。

「妳們家裏有多少人啊？」一開口她們便像是戶口調查員似地問：「幾個女人？幾個男人？幾個孩子？幾個……。」

「四個男人，四個女人，一個小孩，」我說，人口的簡單往往成為我們僱傭人時的優越條件：「妳們那一位是預備當洗衣傭人的啊？」我接著又問。

「……是我」那個穿著一身燈色衣裙，似乎對我們家裏的人口特別感到興趣的少女，慢吞吞地回答。

「那妳是打掃屋子的了，其實像我們這樣窄小的屋子，是犯不著專請僱人來負責清理的，因此這回我們只打算僱一個人，洗衣服連帶打掃屋子。至於薪水，高一點也無所謂，不知道妳們那一位願意接受這份工作？」母親把我們的意思說出來，以供她們斟酌。

「噢，但我們一向是在一塊兒工作的。」橙衣女面有難色地回答。

「不連在一起不成嗎？」我既疑惑又好奇地問。

「是的，因為這是家母所吩咐的，假如我不跟她在一起工作，她的母親將會生我母親的氣。」依舊是那個自云是來負責洗衣服的橙衣少女在說話。

「如果有更好的機會，妳們也預備放棄嗎？」我進一步地追問；心裏想，好一個重然諾的人啊！

另一個，卻始終默默地站立在一旁。

「當然得看情形啦！」她笑著回答：「不知道妳們給多少薪水一個月？過去，我的月薪一向是四十塊錢。」

「妳們以前是在那裏工作的？」母親問道。

「王彬街的一間小餐館」，她回答：「要不是前個月主人回鄉渡假，我現在恐怕還在那裏工作哩。」她感慨良深地追述著。

「那麼，我們給妳四十五元一個月，怎樣？」母親詢問；那一疊堆積在腦角的髒衣，已使母親頭痛得不得了，急不欲待地想找一個人來清洗了。

「M……好吧！」沉吟了良久，那個本來是預備專洗衣服的少女，終於接納下來：「星期一再來上工吧。」她說。

「星期一？！今天才星期二哩！豈不是還得等一個禮拜的時間？為什麼不能明天就來上工呢？」母親剛輕鬆下來的心情，又緊張起來了，她直逼著那個已接受職位的橙衣少女問。

「因為我的衣服還放擱在我姑媽家裏，我姑媽不會答應我立刻上工的；妳們不知道，我昨天才抵達馬尼拉，到現在還有點頭昏哩。」她低聲低氣地解釋。

「既然如此，那麼就依妳的意思好了，希望妳會早一點來上工，可以嗎？」母親只好退而委屈求全，反正兩週的「苦難日子都度得過去，還去計較幾天的差異作甚？

事情就這樣決定了——下週一女傭要正式來上工！而我們也得就此不必每在更換一件服後，便領著母親的一大串訓斥。

然而，事情有點蹺蹊了，眼看禮拜一已經過去，而禮拜二又已近昏晚，女傭人的影子，卻依然在我們的瞻望之外！

「別等了！我早就懷疑『吃店口頭路』的人，還會肯降低身份去做下女？人都是往上爬的啊！」祖母世故地說。

用晚膳時，鵬弟告訴了我們一個「發現」，原來那兩個說是要「回鄉奔喪」的女傭，現在卻是穿紅著綠地，在黎刹大街一間規模不小的餐館中當起招待員。

隔日，我特地要鵬弟帶我到那間餐館去證實一下他的「發現」。到了那裏，意外地又有另一個新「發現」被我掘出來了，原來那個說明禮拜一才來上工的　新女傭，早已在那裏找到了更好的機會——當招待員。

「人都是往上爬的！」我一路無言地仰望著高高的雲朵。

寫於公元一九五八年

洗罪的罪人

我開始進教堂，仍因為有朋友告訴我；教堂裏有替世人洗罪的牧師，而我，正迫切地需要洗罪。

我是一個罪人，而且罪狀很重，我自覺就使傾盡岷尼拉海灣和黃河長江裏的水，也洗不掉我的罪愆。我終日坐寐難安，人在消瘦著，朋友便建議我應該到教堂裏去懺悔洗罪，他說也許我會因而得到良心上的平安。我知道懺悔於我是毫無用處的，一個月來，我不知已經懺悔過幾十次了，然而良心上依舊得不到安寧。現在，我只有去嘗試洗罪了，如果天主真能寬恕一個人所犯下的罪過，我當能從此獲得精神上的解脫。

那天，就在黃昏嫣紅的夕陽裏，整座粉白色的教堂在閃耀著眩眼的紅光；我抱著希望來到高而寬敞的教堂門前。

這時，傍晚的彌撒正在開始。

我伸手往聖水盤裏蘸一蘸，然後在胸前虔誠畫一個大十字架。當我在聖壇前跪下，我的膝蓋落在冷森森的硬地上，不禁引起一陣痙攣；這或者就是一個犯罪者的懲罰，不然就是洗罪的代價？

彌撒在嚴肅的氣氛裏繼續著，牧師開始仁慈地為我們這一群可憐的罪人祈禱。我被感動得伏在木欄上羞愧地咽泣，直至牧師平穩的腳步停歇在我的跟前……。

踏出教堂的門檻，我竟感覺內心有一種解脱後的寬慰，當我再轉頭回顧時，教堂已落在不遠處的暮色中，十字架在響應悠揚的鐘聲中迴盪在將屬於夜的宇宙裏。

歸途中，我便決定了每禮拜必得到教堂去洗罪一次，我的罪是深重的，絕不能那樣輕易地獲得赦免，而現在我已確得到一點良心上的寬慰了！

進教堂洗罪，開始在我的生活上佔有了很重的份量。

一週過去了，我又來到教堂，跪在聖殿前。

這次，我有勇氣向左右的人注視了；我看到了一排排欲哭無淚，悔慚交集的臉孔，這些臉孔都是從同一個模型中印出來的，他們有著同樣痛苦、悔恨和謙卑的表情，他們都一樣地在切望著；我把這些臉孔一一讀著，終於我彷彿看到自己也跪在他們中間。

突然我的右邊被猛然地推了一下，那是一位遲來的洗罪者，正一昧從我右邊的小空隙中莽鹵地硬夾進來，我奇怪一個罪人還會有那麼大的勁力？很自然地我往他的臉上和身上掃視了一番：一張寬大的四方臉孔，正中有一條彎曲的鷹鼻，一雙炯炯發光的眼睛溜轉著兩顆活動的瞳仁，一張不太闊大的嘴巴，半開著；身上穿著赤土色的有領襯衫，一條有補痕的舊長褲，腳上是一雙黑色的橡膠鞋，他不時地向東瞧瞧，往西看看，沒有一種疚愧的形色，我在內心不禁欽讚起他的潛伏功夫，他內在的修養簡直教人難以相信他也是一位待寬赦的罪人，但是，他的確是來請求牧師為他洗罪的，我看見牧師曾停歇在他的跟前，而且有兩顆淚珠沿著他的鷹鼻潺潺流下。

從教堂裏出來，我沒有搭車回家，因為我失掉了右邊褲袋裏的錢包。

第三週，我依舊到教堂來洗罪，只是時間上延遲了二十分鐘。當我走近聖殿前時，我發現那個鷹鼻子的漢子已先我而來了。我有意挨近他，就在他左邊的空位上跪下，同時把褲袋裏的錢包移放在襟前的小袋裏。當他一下子發覺左邊的那個人竟是我時，受了一點驚詫，但很快地就像毫無所覺似地一勁注視著聖壇上的聖母像。

全座教堂沉緬在緘默中。當牧師嘹喨的聲音通過放音機灌滿整座教堂時，我在他粗壯的胳臂上輕扯了一下，搭訕地說：

「朋友，今天我們又碰在一起了」，他僅用瞳仁斜視我一下，不說什麼，便把胳臂往右邊些微移開。

「我們好像有同樣的遭遇和同樣的命運！換句話說，我們都是不幸的人！」我又接下去。

他轉過頭來，不再斜視而是用正眼看我，眼光很冷淡。

「朋友，你說，既然都是不幸的人，我們不該認識嗎？」我開始跟他打交道了，同時用嘴彎裂出一個友善的笑痕，我的友善使他開始相信我並非是來向他索回錢包的了，於是他便釋然地伸出手來，我跟他緊握了一陣子，他得意地道：

「很高興能跟你作朋友！我叫范・蘇沙道，你叫我『范』好了。你呢？」

「我姓洪，你可以叫我『洪』」我說。

「噢！那 ANG TIBAY 一定是你們的親人，你一定很有錢吧」他打打我的肩胛，阿諛地問。

話轉開：

「朋友，你是來洗罪的，抑或是來犯罪的呢？」把話說出後，我內心有點擔慮，深恐會因此惹起他的肝火。正耽心著一場突然的拳鬥或許將爆發在靜穆的教堂裏，但意外地他卻很沉著，面不變色地依舊仰視著慈和的聖母，泰然地道：

「當然是來洗罪的！在耶穌的面刪前，誰敢幹犯罪的勾當？！」

「M……」我點點頭，應著。

「你不是上禮拜來過了嗎？怎麼今天又來洗罪了？」我疑惑地問，難道他也跟我一樣地犯下抵償不了的重罪麼？我想著。

「上禮拜是洗那個禮拜的罪，今天洗這個禮拜的罪，」他解釋。

「哦！天！那你豈不是罪重如山了嗎？」我差點嚷起來。

「你可別亂說，洗過罪之後，就不算有罪了，跟還債一樣，只要你會把所有的久債還清後，你就不再是一個欠債的人。」

「但犯罪與欠債是兩件截然不同的事情，是不能相提而並論的啊！」我糾正他錯誤的觀念。

「算了！反正牧師從來不會拒絕替我洗罪，何況我每次洗罪後，我就不再覺得自己是一個做了錯事的罪人。」他率直而坦白，或者他已忘了自己正跪在教堂裏？

「但是，耶穌會那樣一次又一次地寬恕你嗎？」我問他。

「耶穌會原諒我們窮人的！」他的口氣很肯定；窮人犯罪，在他，認為那是一項特有的權利。

「我們不偷，不搶……我們就會餓死耶穌該不會寧可要世上減少犯罪而增多幾具死尸罷！？」他理直氣壯地道，聲調突然提高。很多人轉過頭來，幾十道眼光不約而同地停留在我們這一邊。我的臉在發著火樣的熱，而他卻嘿嘿大笑，牧師走過來，為他祈禱，他閉上眼睛，我從他的嘴角看到兩條勝利的笑痕。

我走出教堂，心情很亂，是悲痛，羞愧？或懊悔？抑或失望？我分辨不清！

夜色又漸濃了，在黑暗的角落裏，我想到有人在犯罪，在聖潔的教堂裏，我彷若也看到那些人伸出一雙雙染滿了污血的罪手，浸在淨潔的聖水中洗濯。於使聖水被染污了，髒穢的水濺滴在教堂裏粉白色的牆圍上，和銀灰色的地上。

寫於一九五九年

愛在飄茫裏

遵了高齡祖母的命令，一結束學校生活後，即匆匆地檢拾幾件簡單的行李，向姑媽家處出發。

※　　※　　※

姑媽的家是一座乳白色的低樓建築物，面積不大，四四方方的，靜落在一片蒼翠的大田野旁，背向著一片參天的密林和巍峨的朦山，遠遠地遙望；乳白色的屋牆襯嵌在綠茵茵的草田間，就彷彿是一隻擱放在罩上綠巾的賭桌中央的「寶斗」，那樣觸眼！

來姑媽家度暑，已經不是破題兒的第一遭了！遠在三年前，當那個跟姑媽生活過十二年的中菲混血兒隨了姑媽家的右鄰——一個佃户人家的兒子——私奔後，我的假期；無論是暑假或年假便毫無疑問地被委派在這乳白色的低樓裏作長期的消耗。

開始時，我曾為這項頂不稱意的差使向母親再三的抗議過，但當祖母擦著老淚向我説情時，我就軟下來了！我就是這樣的總抵不過祖母這步「淚彈勸術」！我不知道這是出自一份少者對老年人的愛憐，而狠硬不下？抑或是孝道的觀念深根在我的思想裏，任我莫能擺脱？

陪伴姑媽這一行；就此成為我的一大職責。雖然我從不曾有欲收回前言的悔意，但每在我束裝行前，祖母總忘不了再給我加一番訴衷，她說：

「你姑媽命不好，年紀輕輕的就少了一邊人，又沒有留下一男半女作伴，這種日子……那是……容易……過……的呢？」往往說到這裏聲音就硬住了，我迅速地把視線轉投在翹動著拇趾的足尖，深恐窺伺到祖母漸紅的眼眶，連自己也惹濕了睫毛，一陣唏噓過後，稍待祖母又道；

「別人就是沒有自己人的真心。你看她那個養女，養育了她十多年了，一點恩情也沒有，就自己管自跑掉啦！也顧不了你姑媽會傷心不？唉……」祖母感慨著，人世的滄桑她老人家確實看得太多了，姑媽的遭遇在她漫長的視線下也不過是一段平凡的小節，但沒有一個為人父母者，能不因眼睹到兒女遭逢不幸而不憂心忡忡啊！

祖母把我的雙肩輕揉在滿是青筋的手掌間，像萬分委屈了我似的說：「心肝兒，你是姑媽的親甥女，外甥與姑媽，還有甚麼人比這更親近的呢？你去看看，要真的住不慣了就回來，啊婆不會怪你的！」說著，祖母在我的裙袋裏，輕輕地塞進了一團碎鈔。

「我知道！阿婆，我這就去了！」我說，突然我的情感激動了起來，還想說的話皆滯積在喉嚨間，索性怎麼也不說了，便默默地提起小皮篋向大門外走。

祖母跟在我的足後，直送我到將橫過街的轉角處，我依戀地轉過頭回顧時，看見祖母正寬慰地笑眯了眼線，她朦腫的身影在街碑柱邊漸漸縮小，最後消失在我眼力所及的範圍內。

姑媽的家真像是一座住著人的冰窟，冷冷清清的，從朝至暮，內內外外就是一片寂寂無聲，過慣了喧嚷日子的我，初次到來時，確是從心底處直打起抖來，但久而久之，也就習以為常了！甚至一久後我竟偷偷地愛上了這裏的靜寂，連那青翠的草田，令人嚮往的密林，恍恍惚惚的霧山，以及這裏平淡得沒味的生活，皆一一的扣緊著我的心弦。

我驚愕不慣孤寂的我，竟能安適在如斯的氣氛裏，而不窒息！

有人說：「青山易改，本性難移」，這句諺話或者只是限指於一部份人而出，在於我；是不合邏輯的！

僅僅廿多個晨昏，我在性格上的轉變前後已判若兩人；我開始逐漸喜歡了我從來不曾喜歡過的一切。我又像突然地在一夜之間長大了；我不再樂於砰砰跳跳地演著天真相，健談多話的嘴巴，也懶得多動了！

環境；至此容不得我不咋舌吐驚；我一面屈蹂在它的威力下，一面被它淡情寡意所陶燻。

我得意地踏上田岸，田岸上常有我迂迴躑躅的影子，通往森林的幽徑，更有我低沉或嘹喨的歌聲迴轉著，沿著從林境裏沖下來的濕山風，我忘卻了自己而整個沉緬在大自然的懷抱裏。

時光是加了油的滑輪，它迅速地溜滑在日曆的頁板上，從不作片刻的停滯。恰如一瞬眼的剎那，學校的開學期間又迫近在眼前了，縱使大自然的美，像一支柔情的小夜曲，令我依戀，引我入勝，甚且不欲思返，然而理智卻刻即充當了情感的劊子手，把我硬趕回到自己的陣地裏。

三年來，這六個期間不一的假期，卻有它相似的開端，過程和結束，雖隅兒有遭到小小的波瀾，雖然有點綴著些微的漪漣，然而畢竟能稱得上「平靜」兩個字。

※　　※　　※

今年的暑假，距離今天算起還有一個把週的時間，臨近期考，被厚厚的筆記和翻弄得皺爛的書本擾得頭昏腦脹，偏偏祖母在這時候又屢次地催促著我，平添了我腦海裏的紊亂。

「學校到底甚麼時候才放假啊？」祖母又焦慮地問，這句話我已聽了幾近百次之多了，她老人家是世界上第一位最甚的健忘者呢？

「考完禮拜六最後一科目就放假了！」我說，口吻夾雜著無可奈何和煩嫌的成份，我很想能克制住內心的煩燥，力求柔和，可是對毫無涵養的我，想忍耐就似乎比欲摘下天上的星星更不容易！

看著祖母那種急不欲待的樣子，我像掉進了五里霧裏，莫明其妙！以前縱然祖母也是那樣渴望著我能早些時日到姑媽家去：可沒有像這樣焦急過的？

後來從母親的敘述中才知道：原來姑媽收了一位乾兒子！聽說就寄居在姑媽那座乳白色的低樓裏呢！

「這有甚麼大不了的？」我不以為然地道，可是在祖母那袋「男女授受不親」的思想裏，可不能不以為然了！同時除了「孤男寡女不成體統外。」祖母還認為姑媽那個乾兒子一定不是正派人物？

想起姑媽和她的乾兒子，我就巧似丈二金剛摸不著腦袋……。

「姑媽為甚麼收了一位乾兒子呢？」又

「那個乾兒子又是怎樣的一種人物？油頭滑腔的輕浮兒嗎？抑或不知長進的小白臉？」這樣的問題，加上濃霧般的迷惑，使我愈思他愈覺迷茫，愈迷茫愈是無從理解。

如果說姑媽的承收乾兒子，誠是為了寂寞的生活中能有一個閒聊的友伴，是絕沒可能且不能教我置信的理由，姑媽不是一位好喧嘩，喜熱鬧的人，她甚至對「靜寂」有著很顯著的偏愛，每次我去了，名義上是跟她作一個伴，然而事實呢？我們一週中就罕得能有一次對膝敘談的機會，假使她是真的厭煩了孤寂而盼望能有一位伴侶的話，她應當不會老把自己關閉在閨房裏——當我不惜遠迢地到來的那些日子。

於是，所有的疑問很自然地轉投到那個乾兒子的身上了！祖母說的，「一定不是正派人物」！越顯得無可懷疑，而且是有點根據的，不然一位堂堂男子漢豈願屈居在偏僻落寞的山下林邊？而不奢望飛騰於熱城鬧市中當作一名風雲人物？

「姑媽那個乾兒子，簡直是在作孽！」我打心底處直蔑辱他，在我的想像；他是個毫無可取的人！

考完了最後一科目，緊張了幾天的心情總算放鬆下來，接著我又緘默地再擔起那個似重又似乎輕的職責——往姑媽家處奔。

我不禁問起自己來；我到底做了一些什麼？又為了一些什麼？一個安慰的交代嗎？還是一段自我享樂的時光？

※　　※　　※

公共汽車像一隻剛負傷的雄虎，在原野上猛蠻的飛奔，隅兒平穩，隅兒顛簸，來不完的電桿，居民，送不完的路樹，村落，直往後推，車廂裏一片沉靜，疲倦的搭客們七歪八倒地打盹，或依著椅背，或靠在旁坐的肩上。

到了終站，我挽起小皮箧隨人潮下車，踏上潮濕崎嶇的土路，我貪婪地向前瞻，姑媽的家已遙遙在望了！

橫過幾道峽窄的竹陌，再轉進一條開滿野花的小徑，朦朦中已可看到那座與白雲併色的房屋，冷凛地佇立於墨山前。

我的預期臨蒞，掀不起姑媽情感上的少微激動。

「家裏好嗎？」她呷一口濃茶後，淡淡的問，跟問一個打從學校返家的孩子：「你回家了？」一般，冷漠得使我難過，年老的祖母難道是這樣地不值得她思掛？母子之情也不值得她回念一下嗎？想到祖母在朝暮對他的思念，和我臨行前的千吩萬咐，我傷心得欲滴下淚來，祖母啊！你是白疼了她一場了！我在內心咆哮。

當她再俯首呷著端在手裏的濃茶時，我看到她的兩鬢已有了花花的白髮，猛然地間我發覺姑媽已步入中年人的階段，是的，四十多歲的人了！又是淒涼地度過廿個孤寂歲月的人，青春是更短促的。

對著斷腸的人，我的心境很重，話無從說起，沉默包圍著我們的四周，我端起瓷杯，猛飲下黑得似墨汁的茗茶，苦澀的液體從舌尖直衝進喉管，我的雙眼漸漸潮濕。

「我給你們介紹一下！」姑媽突然站起身，接著彎下半身把杯子輕擱在矮几上，她望著我又轉望一下身後，這時候我才發覺在她的背後已站著一個青年人，他的出現像一具飄忽的幽魂；無聲無息，我驚訝地盯住他，直盯住他……姑媽的聲音又在我的耳邊響著：「這位是程湘文。」姑媽隨即也像一道幽靈，默默地消失在我們中間。

「程湘文。」就是這個站在眼前的人！他該就是姑媽那個乾兒子吧？祖母口中的不正派人物？我想像中的輕浮漢？噢！事實怎麼完全不附合人們所猜測或想像的呢！

他的身上穿著白色短袖的襯衣，深棕色的長褲，而不是我以為的花衫白褲條，頭髮黑且密，修剪得很整齊，面孔消瘦，然清秀。清秀中卻有一層憂鬱。濃濃地淹過他該是年青的輪廓。

我以點頭向他先打招呼。可是隨即卻脫口的問：

「你好像有點不快樂？」接著更禁不住疑惑地追問下去：

「你真的是姑媽的乾兒子嗎？」

「這是你的猜測？還是你精心研究後得到的正確答案呢？」

我被他末的那句話，燒熱了面頰，難道他已發覺我一直注意著他的行蹤了嗎？但我必須毫不介意似的說：

「我不是研究人類學的專家。我只是憑直覺而加以推測而已，但我確信不會錯得太遠的，」我歇息一下又說：「你從來不曾笑過，不是嗎？」

「哦！」他恍然我指他不快樂的主因了：「但笑就一定是由於內心快樂才發出的嗎？」他又問，黯然的眼光再度出現在皺連成八字的雙斜眉下。

「是的！在於我是這樣的。」我直截了當地道。

他順手擷下擺飾於几上的一片水葉瓣，揉弄在指掌中，苦笑著，我靜在一旁待他的下語，然我等到的卻是兩道深沉又幽怨的眼光逗留在我的面上，片刻，即匆匆移開，像過窗的風雨匆匆一掃。

靜默了些時，他方緩緩且有力的說；

「因為你是幸運兒！」，語畢，他突然反身跨著大步子轉入寢室裏。葉瓣揉碎在他的拳裏，被丟擲在門外。

我孤獨地驚愕在沙發的軟墊上，猛然我潛覺到有一種莫明的驚愕正向我襲來；當我詫異到今夜是一個這樣不安寧的雨夜時。

夢中——我置身在槍林雨彈的戰場中，我的耳朵滿是砰！砰！！的槍聲——我從驚夢中淌濕一身冷汗醒來時，有人猛敲著房門，我霍然起身開門，程湘文一張焦急神態的臉孔出現在門外，我冷不防一怔，而愕呆在門邊。

「乾媽發著高燒，我預備漏夜到市內一趟，那邊或者能有醫生肯來。麻煩你到她房裏照應一下好嗎？」他的語氣很懇切，像是只求著一個陌生的人做一件不屬於他份內的事一樣，我點點頭，表示這件工作是我十分願意做的，我甚至想告訴他說，何況這根本就是我應該承擔一半的職責呢？可是此刻他已消失於撇開的門扉外，履聲漸漸遠去。

我悄悄入姑媽的房間，姑媽半昏迷在床上，床邊的桌面上擺有半杯熱水及一些零零碎碎的家常便藥，顯然的程湘文曾在這裏服待半個晚上了！我的心受到慚愧及歉疚的責罰，望著姑媽露在綿被外鐵青的臉孔，我愧對曾寄望於我的祖母！

子夜過後，程湘文帶了一位白髮參差的醫生到來，隨後又陪醫生返回市裏，還特地給姑媽購藥來，那時天已微亮，東方閃射著魚肚白的光了！

把藥物交給我，他精疲力盡地靠俯在椅背上歇息。我給姑媽斜斟一匙滿滿的乳液狀藥汁時，他已倏然搶步侍待在榻邊，把我手裏的銀匙接過去並小心翼翼地半扶起衰弱的姑媽。

服藥後的姑媽安祥地閉上眼皮，房裏有浪潮過後的平靜氣氛，然程湘文並不回房就寢，他癱落在帆布椅上，仰盯住劃痕的天花板，在那上面好似有他嚮往的桃源——另一個快樂的人間他忘了他生存著的這一個人間了！我走近他，放輕聲音道：「你該休息了，這裏讓給我。」他一震，兩隻眼睛散發著迷茫的光彩，我重敘一番，我多麼希望他會接受我的建議，可是他拒絕得很俐落，他說：「不！還是我留下來，剛才很抱歉打擾了你的睡眠。」他這段話使我感激之餘氣憤萬分，他簡直把我跟姑媽的親情抹劃得比他跟姑媽的情誼更淡疏。不過當我平心下氣地作一番徹底的思憶和檢點後，確實是的，他對姑媽是盡做著為人兒女的孝道，他對姑媽的情份是一份母子親切的感情，雖然他是我所知道的；僅是姑媽的乾兒子！

翌日清晨，昨晚的雨還沒有停歇，窗外一片白茫茫，矇山更朦朧了；只看到它模糊的輪廓，沐淋在雨中。

我再度看到程湘文，一夜無眠的他神態更頹喪，我的心情莫明地感到無比的繁重及紛亂。

姑媽的病在我們的照料之下繼續演變下去，且日趨嚴重。程湘文晝夜服侍在側，真情畢露；在他們之間好像有一份深摯的情感連繫著，而這份情感是飄茫的！

當我們再度延請醫生而發現姑媽患的仍是腦膜炎後的第二天，姑媽與世長辭了！祖母得訊趕來，但遲了！她老淚縱橫。

姑媽入土的那一天，程湘文的哀慟比祖母更甚，感動得我跟著他泣不成聲。

喪事一完，程湘文便告辭走了，他一走像連帶地也帶走了燃燒在我生命中的火把。

挽著祖母無聲地踏上回家的歸途，青草依舊成茵，遠山依舊佇立在碧空下，然而世事已大有變遷！

「他有點像程修德！」祖母夢囈般喃喃地道。

「程修德是誰？」我好奇地問。

「你姑媽的戀人，跟你姑媽有過一段孽債……難道！他就是那個歸還給修德的孩子！」祖母猛然拘想起往事，如夢初醒地高吶起來！但一切都已追悔不及……。

太陽已西沉，夜幕在飄茫的黃昏後到來。

姑媽走了，程湘文也走了，而我們也正在「走」中，但在我們這幾個人中間，卻牽繫著一份「走」不了的情份，一份落在飄茫中的情份——愛。

寫於公元一九六二年

領郵記

我一生中最不喜歡幹的差事，莫過於到郵政局裏領郵包。

這一兩年來，凡是他埠或國外的親朋戚友的餽贈，我都一概謝絕之。朋友們以為我是太過客氣，不肯輕易接受他人的贈與；卻不知道我是一個算盤打得直響的家計兼經濟家。這一腔難言的苦衷，他們那裏能夠瞭解，簡直是委屈了我。

得說那一年，一位中學時代的好同窗，從遙遠的新加坡，由郵政寄來了一支鋼筆。在信中她特別叮囑我要好好地珍惜它，就彷若珍惜我們的友誼一樣。對於這一方來自天之一邊的情誼，不由得我不感動到幾乎掉下眼淚；因而更珍視那支象徵著一份深摯友愛的鋼筆的到來。一個月後，郵差畢竟發來了一張「郵包」的領取通知卡。像久旱逢甘雨，這張小卡片使我欣喜若狂。午飯一過，我像著領勳者的喜悅心情，向郵局進發！

單身匹馬闖郵局，就我自己來說，是破了首次的記錄。但我並不膽怯，內心更沒有絲毫的畏縮。我認為路是人走出來的，事是由人做出來的；何況只是領一件小小的東西。而我此時此刻的心情，比什麼人都來得更篤誠，更堅決。

置身於郵政局裏，我變成了廿世紀的劉姥姥。龐大的建築物，不停地裝進了洶湧的人潮，使我眼花神動，兩隻腳跟不聽話地發抖著。巡視了一圈，好容易才摸準了窗號；可是窗前早已排列了一條歪歪曲曲的人龍。我接上去，纏足小婦人移動其三寸金蓮的步伐似的，慢慢地移，移。移到窗口，才鬆了一口氣，輕快地把通知卡遞上去。

「你的身份證和居留證呢？」坐在窗內，臉孔冷森像老修女一樣的女管理員問我。

「我沒有帶來，但我有學校裏的學生證。」說著，我趕忙從衣袋裏抽出一張膠質面的學生證來，可是她卻直搖著頭兒，把通知卡推擱在一邊。我見通知卡推擱在一邊。我氣急得額上淌出汗珠來：「為什麼？學生證不能充當嗎？」我的聲音使後面那幾張陌生的臉孔，睜大了眼睛。

「這是規矩，規矩就是規矩，你懂嗎？」她不耐煩地回答，逕自伸手去接站在我身後、現在已搶竄進來而跟我並肩站立的另一個急性鬼的卡片。我只好退出來。回家把所需要的證件一併帶齊，到達郵政局前的石階，已經汗流夾背；再拖進郵局裏，我差點喘不過氣。但是，還必須再來一次送殯式的排列！慢吞吞地，必須一步一步挨下去。謝天謝地，總算輪到我了，我滿有信心地把一疊證件遞上，便一心等待著一包長長的小匣子送到我的眼前來；可是……………

「名字為什麼有兩種呢？」女管理員突然問。

「噢！」若晴天裏的一聲霹靂，我遭受了一下不算輕的打擊，我吱唔地說：我有兩個姓名的……唔……好像……好像……一個是筆名，一個是學名，一個是乳名……一樣的情形呀！」

「我不管這些。」眼看她又要把放在窗沿上的證件推回給我，我憤怒得真想揍她，假如不是為了那支鋼筆就在她那邊的話但這回我學乖了，於是我把聲音放得很輕柔且很懇切地問她：

「請妳指示我應該怎樣做，好嗎？」

「這樣吧，你到樓下十號窗口那邊請那位先生給你證明一下，就可以了。」果然她不負我所望；人總是有感情的動物啊！即使是修女教師，誰敢說他(她)們不會流淚呢？

我如獲重釋地說了一聲「謝謝」，頭也不回，以運動場上的跑步速度直奔至樓下。十號窗口的管理員，還是同僑！我喜上心頭，滿以為這一下準可解決；單憑「同是咱人！」這句話，我便很有把握。我把自己的要求恭敬且細心地向他表達出來；他點點頭，卻說出不符合他的動作的話：「有帶文憑來嗎？」

「文憑跟這個有什麼關係？」我疑惑地問。

「有文憑，我才可以證明你就是XXX和YYY——這兩個姓名的同一擁有者。」

「但我的身份證上不是貼有我的照片嗎？」我指著那張因歷久而已模糊的二寸小照，理直氣壯地提出抗議。

「多話，文憑拿來再說。」這回，真的碰上了教士！

既然自己所開闢的大道行不通，就只好認命地循規指定的路線走。就這樣讓我定心下氣地再一次返回家，從箱底下翻出我的初中文憑；把它「奉」到郵局。得到十號窗口管理員的證明紙條後，我又急速來到剛才那個窗口。糟糕！那個女管理員已不知去向了，換來了一位八字鬍的先生。我重費了一番口舌，把摘要敘說一遍，方博得他的同情。他從壁櫃裏取出一隻長方形的匣子，卻主動地替我拆開被包封精緻的兩層赤紙，這應該是例行的檢查吧，我想；我當然沒有異議。剎時一支新的派克二十一的鋼筆已經映露在我的眼前，他走近窗口，我以為他會把鋼筆交給我，然而不是！他說：

「你必須付清這支鋼筆的郵稅，十五塊錢。」我被驚嚇得說不出話來。好久好久，才沮喪地回答說：

「那麼我不要了！在這邊買還不必十五塊呀。」

抵家，已是萬戶燈火的昏晚。想起了遠在天涯的她，要是知悉了為著她的一份盛意，累我花掉不少時間，心情，她該會於心不忍吧。

於是我寫信告訴她，今後若有所贈與我，只有心領的餘地。的確，一份高貴純潔的友誼，並不須依賴物質的連繫或靠它來表達。雖然說，一份有形禮物多少可以表徵一點心跡，但心跡如借用在學問之互相勉勵。和於時間之軌道上來傳達，非但感染得到，而且可以看得到，這不是更真切嗎？

寫于一九五七年暑季

英雄之死

是一個「不工作的假日」NON WORKING HOLIDAY，叢建在巴蘭惹計社 PARANAQUE，樹葛道(SUCAT ROAD)兩邊的工廠區，一片清閒。雖然，今日國營電力公司並不施行分區停電，然而，即使太陽已烘熱了一座座工廠的鋅簷，工廠裏的機器，卻還是癱瘓著。假日的氣息，像一股薄霧，踉蹌在工廠區的周圍，雖然我們看不見它抖擻的蹤影，卻有一絲寂寂的感覺。

記得，自從那幾道新法令頒下來後，每逢假日，不管是「不工作的假日」，還是「工作的假日」，或者「公共假日」，抑或是「法定假日」，只要是「假日」，一概的，老闆們總得認真的用點腦筋去合計合計，然後，才決定下來，到底是開工？還是不開工？

尤其是像今天這種「假日」，偏又巧逢禮拜六，這麼一個夠令人消受的週末，照往常老闆們所得的經歷，每逢這種雙重的假日，即使付出雙重的工資，也還是壓不住工人們一顆顆跳盪的心，由於心思飄忽，情緒又不穩定，故往往致使工作效率緩慢，而且秩序一片混亂。

經過精細的盤算後，老闆決定下來：「不開工！」像一道及時的「特赦令」，剎時，整個工廠裏一片歡呼，只差沒有聽到裂耳的鞭炮聲。

每個月以一百或二百披索不一的租金，三三兩兩湊合住在一塊的女工們，她們中間有來自呂宋北部的依洛干若人、邦牙絲蘭人，也有來自南部的那牙人、拉牛邦人，反正，今晚都徹夜不能成眠。瞪著鋅縫裏透進來的一條條月光，滲著從三夾板牆間硬闖進來的；熱呼呼的暑氣，越教她們躺在三夾板床上的身子，輾轉不停。想著過了這個夜晚，又可以風風光光地回家渡週末，心頭的興奮，比起屋後水草間的青蛙更活躍了。

大清早，彎臥在工廠邊的那截泥土路！因沒有趕時間上工的工人，故顯得冷冷清清，連那兩家用舊鋅斷木釘起來的小士多(SARI SARI STORE)此刻也好似被冷落了！四周很靜，不像往時在這個時刻，總可以聽到店仔前不休的喧嚷聲——為找錢而爭吵的，為討價而謾罵的，甚至為不賒賬而動武的……

店仔前那棵繁茂的芒果樹，頂著綠油油的葉子，不見芒果。獨自搖拽在四月的烈日下。

離正午還有一大段時間，卻已可以看到成群作伴的女工們，挽著行李，扛著餅乾桶，跳上駛向巴士車站的集尼車上，迎著飛揚起的塵垢，向夢繫的歸途而去。

儘管這一路，多難熬，車裏多悶熱，而車外又多顛沛，然而，她們還是坦然地，堅決地要把「快樂」帶回家中去……。

至於一般男工們；他們可就懂得不去那麼犧牲自己了。中午一過，便三晃二晃地，晃到小店仔裏去，圍著成牆的酒瓶，講著自個兒的英雄史，他們彷彿覺得祇有這種享受，才不會蹧蹋了個「假日」。

多馬斯・波利 THOMAS LORY，是樹葛道邊，那座新工廠的司機，也是今天，這個「不工作的假日」底受惠者，他魁偉的身子，遮去小店仔的半個窗口，另一半窗口，剛好容納了工廠遠遠的全貌。他坐在用木塊釘成的長椅凳上，向著窗外，不時翻著白眼，與工廠對望。

當一打的啤酒過喉後，他總會再一遍去抓那一串回憶……自己是幾歲當司機的？他幾乎記得，又幾乎記不大清楚，但他永遠記得很清楚，而且又是千真萬確的事實；是他來的時候，老闆的新工廠還沒有蓋起來。

單祇憑著這點「事實」，老闆總在有意無意間露出一點破綻來，使他覺得出老闆暗地裏的確有一點畏怯他的意思。

要不然，為什麼每次他遲到時，老闆總祇是用刺骨的眼神向他襲擊，卻不敢正面地對他哼一聲呢？倒是他，反而常常在心情不很舒坦的時候，作一些情緒上的反抗；像把車門重重碰上啦！或猛然把車子剎住，他要用這些弄出的聲響，間接告訴老闆：「我要是到勞工部去告狀，有您好看的。」記得當初，自己來當司機的時候，每天既要護送孩子上學，又要運送貨物，每天工資，既僅照勞工法定，月底還得納「社會福利」，及「醫藥補給稅」，雖然老闆管吃管住，當他感冒或頭痛的時候，免費供給他藥物，但他怎樣算，還是算出老闆欠了他一筆債，尤其是當老闆蓋了那座新工廠後，他更肯定自己這幾年來確確實實是吃了大虧。

「酒溢出來了，巴例！」猛然，他的思潮被斬斷，杯中的酒，由於快速的傾倒而洋溢出，桌上的空啤酒瓶，擠得騰不出空位來。

「怎麼？現在才來？」司機波利捲回他挖心刺骨的回憶。把視綫從沉茫的白雲間收回，落在一屁股坐在他對面的老友羅敏身上。

羅敏身上穿著黃色的T衫，在脅邊濕了一大截，下身則穿著深藍色的長褲，闊闊的褲管，也是潮濕濕的。

「沒辦法，我那老婆非要我把那盆他媽的髒衣服洗完不可。真窩囊！早知女人都是一般貨色，我又何苦把先前那個老婆扔了！」羅敏滿懷牢騷，順手拿起桌上的一瓶生力牌啤酒，愴然地向自己張大的口灌下。

熱而燙的正午日，紅紅地打在滾滾的泥土地上，也打在小店仔鋪著塵埃的窗沿。四周沒有微風，祇有熱熱的空氣。

小店仔的女主人依仁娜．引芒，凡是這附近的居民，都管叫她仁娜姐(MANANG LINA)，不過，在背後大家都盡呼她阿胖婆。這時，她拖著一雙橡膠質舊拖鞋，身上掛著那套晝夜不更的粗布大寬衣，從黑鏽的鐵架上，端來一盤串在木枝上的烤肉，那陣陣的燒烤肉香，驚心動魄地，騷醒了睏睡在桌腳邊的大黃狗，由於大黃狗的尾巴，那樣狼狽的一大掃，竟連帶地掀起滿地的蠅陣；有雌的、有雄的，爭先恐後地。衝向烤肉上紮營。

仁娜姐吝嗇地，連吹帶趕地把它們打發掉，帶著一身炭味，來到桌前：

「巴例，嘗嘗我們的烤肉，不錯。可以記在賬上。」

「謝謝，請再給我們一打啤酒吧，一起記在賬上好了！」司機波利的兩隻大眼睛，牽著紅絲，「還有，媽例，多加一些冰塊，怪熱的天氣。」

「好，好，」仁娜姐把閃著油光的烤肉，放在桌上，順手帶走一堆空酒瓶。

「我說，巴例啊！你不是大男人啦……那有男人被女人支使的！婊子養的。」司機波利氣憤地訓斥羅敏，由於血液在脈管裏加速跳動，致使他的面頰以至頸項，漲得通紅。

「就是嗎！所以老子跑出來痛飲呀！今天，非喝一個通宵給她看不可，不然，她媽的！還以為我是女人腔啦！」羅敏懊惱地拿起一隻空酒瓶，使勁地向屋角擲去……。砰！的一聲響，碎玻璃片灑了一屋角。也由於這一聲近乎割空的一砰然，而引來了那三個一直蹲在泥地上玩耍的小男童，他們隔著門框，睜著小眼睛，看著這一幕大人們的英雄傳。

幾瓶下肚後，不但司機波利，英姿激發，連幾個鐘頭前，還縮在水喉頭下洗衣的羅敏，也煥然變成另一個英雄人物！

大男人激昂氣勢，像暴風雨前的霹靂，說來就來，任你擋也擋不住，攔也攔不了。淡黃的酒液滲著冰塊，在杯中翻騰，也在司機波利，及羅敏兩個人的身體裏的血管中沸騰。酒精刺激著他們的每一處穴道，也刺激著每一條神經系…………

啤酒的輸送，沒有間斷。還不時有一小盤，一小盤的花生啦，燻魚啦，烤蠔啦，什麼的，接應不停。反正，這些都可以記在賬上，今天他們盡可以大大方方地喊！「記賬」，因為舊賬今早剛全盤付清。

泥土拌雜著碎石的小路，從遠遠馳來一輛馳行樹葛(SUCAT ROAD)及墨拉蘭(BACLARAN)的集尼客車，四隻已跑禿了的膠輪，輾在泥地上，顯得很吃力。

集尼車剛馳過小店仔，便突然剎住，害得輪下的泥埃及小石慌張地逃亡。

「嗨！巴例。」車上跳下一個四十出頭的瘦個子，挺著見骨的兩肩，踏著一雙白色的軟膠鞋。面上佈著一層憤怒，匆匆地走進小店仔來。

「她媽的，那個狗養的臭小子，欺侮我是一隻瘦猴。」他氣急敗壞地向司機波利投訴：「大路口修補輪胎店裏的那隻肥豬，把我討生活的一隻輪胎弄裂了口，非但不賠錢，還跟我玩狠！」他邊說邊徑自坐在司機波利的身邊，管自拿起桌上的一瓶啤酒，一飲而盡。

「果真這樣？我替你揍扁他，我們蜂牙絲蘭人是不受欺侮的。」司機波利氣憤填胸的說，本來就紅光滿佈的臉，現在更紅更亮了。

「玩狠麼？老子不輸給他們！」說罷便站起身來，順便舉起手中的半瓶剩酒，仰天一飲；一幅義薄雲天的氣魄，感動得那隻瘦猴，淚光閃閃。

看著司機波利粗獷的身影，漸漸在距離中縮小，同時還依稀看得到羅敏小小的身形，緊跟在後面，連走帶跑地跟隨著。

瘦猴的一隻腳跨在店門外，身子卻留戀在桌前，眼前一瓶一瓶的啤酒，這時彷若一條一條粗大的鐵鍊，綁得他寸步難移。

「好吧，喝完這一瓶就走。」他自己嘀咕著。

「一連喝光了五瓶後，正下了最大的決心，離開這溫馨的桌子時，忽然看見跟司機波利一道去的羅敏，鐵青著臉從小路上跑回來，聲音顫動地喊著：「巴例波利被揰死了！被揰死了！」

羅敏一口氣跑向工廠的大門，敲著既厚又硬的大鐵板門高喊：

「老闆，救人啊！司機波利被揰死了！」

像往常一樣，凡是臨到緊急關頭的節骨上，譬如每逢月底，收租婆為租金要追出人命時，或老婆半夜臨產，還是小孩子發高燒等急事，他們總會一幌地就想起「老闆」來！他們的一切，包括生老病死，他們總認定，老闆都逃不了責任，彷彿這是天經地道的事。

祇是他們常常為這串事，而在心底裏分辯不出，到底老闆是他們的「救星」？還他們的「煞星」？而苦惱……。

喊了好一陣子，工廠的大門，依然緊閉，他忘了今天是「不工作的假日」！

羅敏像一隻受傷的野狗，回頭倒踢地，它欲返回小店仔裏叫人救命，迎面卻看見瘦猴舉著一把切肉的利刀，向他衝來，並喊著：

「狗養的，你不顧朋友，波利被撞死了你反而跑回來！你這怯鬼，我殺了你……」

羅敏見來勢不妙，說時慢那時快，趕緊轉移方向，使盡畢生氣力，逃向右邊的叢林裏，腳跟後彷彿還看得見冒著一陣白煙。

一陣警笛，響澈晴空。

悠悠地，就在瘦猴的跟前停歇下來。瘦猴無從分辨地，被拉上警車，閃光的肉刀，被張舊報紙包起來，帶去警局，這是殺人的證據。

司機波利為義死亡的消息，在太陽未落，傳遍了工廠區的每一戶人家，成年人讚揚著，小孩子仰慕著……個個心裏都激昂地喊著：

「真不愧是一條好漢，偉大的司機波利」。

※　　※　　※

星期一，工廠依然開工，工人依然上工，再怎樣轟動的事跡，也依然會在時光下消失。

祇是，一條生命卻永遠也拾不回來了。

寫於巴蘭惹計住宅。公元一九八五年

痕

痕裂在窪地上，就形成一條渠：痕裂在心版上，則變成一處傷口。溝渠也許有被填滿的時候，也許有滅跡的一日；而傷口呢？不能，或許它會有被醫癒的時候，然而卻永遠滅不了它的痕跡。

※　※　※

父親花掉半年有餘的時間，探視了近全市每一個小角落的房舍；最後，卻看中了那間藏縮在陋巷，又古老又殘破的雙層屋，作為我們遷移的新居處。

父親這做法，我並不難猜測到；還是為了經濟問題。父親生性好儉樂節，即使在我們相當富裕的時日，他依舊沒有忘記過這份勤儉的品德，常常說。

「凡是能省的就得省下來；能儉的，都得儉。」

也許，他就是循著這條「省儉」的原則，所以我們嚮往了好久的新居，會落在舊屋陋巷的裏頭！

我們的新居正位於市區的中心點。轉右走出四百公尺，便是勒道大街，這裏有馳往各幹線的來回街車可搭。可以説是全岷市的交通總樞。轉左是怡來耶，仙沓依仁娜和陰米黎仙道示三條街的匯口處。馳名的中路菜市就在咫尺之遙的附近；還有歷史最悠久的沓某拉布市場，就座落在僅距數十尺遠的對街。在這個範圍不甚大的圈子中，倒是商店琳琅滿目，行人熙來攘往；那些型式不一的大小招牌，奠定了它底傳統性的榮譽——商業區。

然而，遷進那一天，我並沒有獲得預期的興奮，因為這裏非但顯不出一些新穎的氣氛，而且頗易令人掀起暮舊的感懷。不說斑斑壘壘的舊痕，失漆褪色的屋身，單看那一扉總巷的大木門，在居民的相互摧殘下，大可穿拳的洞子滿處皆是。而門閂既大又笨重，豎立在兩旁，就彷似兩道活的圍牆。每逢晨晚，當房東秦老生費盡了九牛二虎的氣功才能開啓及關閉的時候，它所發出的咿——哎——響聲，總是震動了這條巷裏百户之多的大小人家。

巷裏很不清靜，因為橫列在左右兩邊的房舍，除了幾間附近的商店租用作棧房外，就是僑眷的天下了；黃昏一到來，巷裏便變成孩子們集攏的大營地。

巷間也不很乾淨，因為那幾間黑漆漆的棧房，是附近的乾魚公司、紙商以及酒店之貨物的收藏所「貨倉」。鹽鹵、紙屑、玻璃碎……經常滿地皆是。

「臭死人了！爸爸真是。」雪妹扼緊著鼻孔，不斷地埋怨父親。在她幼稚的心靈上，父親是傻得應該挨罵。

『是啊！又臭又髒！』比她大一歲卻長得僅跟她一樣高的鵬弟附和著。從跨進大巷門起，他便得踮起腳跟走路，因為黑且黏的鹽鹵總是弄濕了他的鞋尖。

『你們靜下來，這裏是我們的家了，知道嗎？』我吆止他們，同時我看見那張通往房東底房間的大樓梯口，站著一位十七八歲的姑娘。她的眼睛正瞅向我們這邊，而且還含著忿怒的光芒。她的嘴巴比尋常的一般人來得闊，下唇又特別厚，由於忿怒，那片厚厚的紅唇像一瓣櫻桃片，惹人注目。

『嫌髒，嫌臭，就不要搬進來！』她狠狠地道。

我禁不住扭轉頭去，向她上下仔細地掃了一眼；她的身材不瘦不胖，只是矮了一點。如果從她的背影來推測她的年齡，至多不會超過十四歲，似她那張夠成熟的面龐，卻好比已把她的年輪雕在上面了。她的頭髮很黑，剛抹過髮油似的，修剪得很短，如果不是雙髮間彎了兩個捲螺，就跟男孩子一樣，毫無差異。

她依然站在樓梯口，只是改變了姿勢，她的右手插在腰間，左手攀在梯沿上，形勢更兇，像一雙發了性的母雞，咕嚕地嚷著。

『看什麼？不認識嗎？』

『多怪的一個人物？！我壓根兒就連見都不曾見過妳，怎會認識妳呢？』我不禁在內心自忖。

『怎說啦！要打嗎？要打來啊！一比三怕你們作啥？』她越說越不像樣，而且語氣完全是一個男人的口吻！接著她移動那雙又粗糙又碩大的肉足，腳上穿一雙綴滿珠子的半高跟布拖鞋，硬皮的後跟落在木梯上，發出沉重的展聲。

她的眼睛沒有轉過來，依舊斜瞅著，大有言行一致的趨向。

雪妹和鵬弟愣在一旁，面青唇白，大概也會心驚膽跳，雪妹向來膽小，因為她是個女孩子，而鵬弟向來是很有膽量的，這次卻例外地顯得膽怯，也許是由於『冷不防』吧？！使他來不及提神壯膽。

我們還未曾展開這場沒有道火線的戰局，四周已圍攏了許多等待觀戰的鄰居。(他)她們的臉上罩著急不欲待的急相，他(她)們的嘴角還掛著幸災樂禍的笑痕，有幾雙眼使勁地在鼻樑上端擠了條皺溝。

我們漸漸地被圍困在人圈中，這情形使我回憶到童年時代在家鄉搶看江湖漢耍猴子的情景；只是當前沒有翻騰的鑼鼓聲。

我拉著雪妹和鵬弟突出人圍，泰然地跨開大步子往內走。我想，『我們寧可做臨場退縮的鬥雞，也不當猴子讓人耍！供人樂觀』前一個雖有『弱者』之嫌，但後者可是莫大的一種恥辱；再說『弱者』在這『滿街狼犬』的世風下，應該是良善的象徵。

我們一走，顯然的戲便耍不下去了！人們掃興地逐漸消散，剩下四五個皮膚黝黑的小孩，大概是僑生子吧？還逗留在那邊，盯著那位奇怪的姑娘呆呆地望著，望著。

『看什麼？不認識嗎？』又是這句話。

孩子們被她一吆喝，便向四方跑散，像一泓四濺的水花。

多威凜的一位姑娘！想來她該是這條陋巷裏的風雲人物吧！單單憑她那句『不認識嗎？』就可知她必定是每一個人都得認識的『聞人』。

然而，我卻不認識她。

直到住在H門裏的施老太太，宏量地犧牲掉她大半天的清閒，不厭其煩地把『她』仔細地介紹給我們後，我才破疑大悟。

『……那是惹不得的啊！你們千萬不要惹上她啊！』末了她還一邊走一邊叮囑的說。望著她老邁的步伐，彎屈的背影，我打心底兒被感動得說不出話來，怎樣的一個『好人』？真是太難得了！有了她，這條陋巷總應相安無事了吧？！

原來那位姑娘，是房東秦老先生最得寵的千金，據巷裏人傳說，秦老先生之所以能擁有這一列的房屋，乃是他這位挾財轉世的女兒，為他帶來的財運。

一位大財神，豈容你不認識？！莫怪她老是頂神氣地衝著人問『……不認識嗎？』是的，只要你是此巷中的住户，就不容你不認識她——房東的女兒秦啊金。如果你懶得去結識她，她倒會自動找機會來讓你賞識；不然，那位施老太太也會臨門來向你們推薦一番——就像推薦她丈夫所賣的蟹，大蝦那般起勁。

※　※　※

巷不很短，巷頭巷尾共有三十米突深。我們的門户碰巧在巷尾，我每一次出入，倒可以順便作一次巡視工作。

連帶房東專用的那座樓梯在內，全巷共有五座木梯，分置在巷的前，中、後和左右兩側。每座木梯窄闊大小不一，唯一相同的，是光線暗淡，蛛絲塵埃滿佈，突然一瞥，頗像是一道荒蕪人煙的廢徑，但實際上這裏從朝至暮，卻有印不完的足跡交叉重疊其間。

通過樓梯，上面是排排鴿櫥似的小房間，一間緊接一間，中間隔以薄薄的木板牆，可說是連一毫厘的空隙也沒有浪費掉，如果不是人類因新陳代謝的作用而俱備了生活上對現實生理的需要，也許房東秦老先生還會把那個不成廚房，和那個僅可容一人的廁所和洗盥間，一併闢為房間，租出！

老先生是一個典型的生意人，滿肚子盡是動著『入財』主意，跟在他底『主意』背後，是木匠呯！呯！碰碰的聲音，三天未過，不是這裏多了一間道牆，就是那邊添了一座壁，大的房改小，小的房間更小；小的房間本來就嫌過多了，現在更多。

僑眷開始陸續搬走了，因為空間限制了他們每年都得增添的床鋪位。他們計劃在這裏創設的大家庭，眼看已被木匠的鐵錘擊碎了，只有捲鋪斂蓆他遷，到別處去實現他們『三代同堂』的美夢。

一個月未過，住户只剩下寥寥幾家……A户的寡婦烏心嬸，和她十一歲的獨生子汪為民；C户的白家夫婦，和四個從九歲到十二歲，長得像一排梯階似的女兒；D户的施家老夫婦，和一個遊手好閒，連自個兒妻子都養不起的不肖子；H户的黃家大小八口，以及J户的林家五口子。這幾户住客，不是零仃稀少，覺得不需要寄以空間的擴充外，就是窮得連遷居費都拿不出的賣汗人家。

賸餘下的房間，一時空如棄巢，多得令秦老先生心慌意亂，這回是『陪了夫人又折兵』！釘上去的牆版，總不能再蝕一筆錢去僱木匠再將之拆下來啊！

結果，秦老先生只得作一次虧本的大減價，從一百或一百廿元的月租費，降減到六十、五十甚至三十，十五元。

新的房客陸續地搬進來，在這批近五十家左右的新房客中，除了一家是簡單的僑眷外，全部是走國際路線的。其中有當廚師，當店員，還有一家竟是中醫，當廚師的，佔了半數以上，當中醫的，則是群中之絕！

空懸了一個月足的房間，獲脫手以後，秦老先生的舊愁剛消解，新愁又來了。

一天，我碰巧閒來無事，便沿梯上樓去，順便著看那批陌生的鄰居，剛登上二樓便碰到秦老先生正苦喪著臉孔，對才搬來兩天的房客吳立志抱怨著；他站在房門外，房裏有嬰兒啼哭聲音和無線電播送著的音樂節目。

『吳先生你初時跟我講的是五個人，現在怎麼卻十個人呢？』泰老先生活像受盡委屈似的，欲哭無淚的表情，令人一見生憐！

立志穿著赤色的背心和一截卡計短褲，雙眼深陷，顴骨突出，一張憔悴的白臉，酷似為『方城戰』或熬夜的戰士。他的臂彎裏抱著一個四歲大的男孩，孩子的小手攀鉤著他瘦得幾乎可以一扼即斷的頸子。

『那五個是我太太的親戚，昨晚漏夜從禮智來的，那時候我不在家，所以不能及時拒絕，你是知道的，我幹的那一行啊！往往非得三更也得半夜才能回家，是不是？』吳立志輕聲細說著：『再說，再說在馬尼拉，他們實在沒有其他的親戚了。所以，所以不得已才來投靠我。她們只住十天八天就要返回去了。』吳立志陪著笑臉。

「利志！利志！」房裏有把『立志』喊走了調的女人底叫聲；吳立志忙不佚地返身進去。頃刻，他的臂彎裏換了一個幼嬰出來；他的腳步伴著無線電播起出來的民謠，作有拍節的起落。嬰兒的睫毛間還有淚水，但此刻正酣酣地瞌睡在他父親酸痛的臂彎裏。

『好吧！至遲十天，你可不能再挽留她們啊！』秦老先生搖撼著他的白髮參差的頭，一面向吳立志警告著，同時踏著八字步走開。

當他來到那唯一僑眷的新住客底房門口時，他躑躅在白底紅花點的布廉邊。

『阿青伯，進來坐坐吧』女主人崔妙英剛在替她的小女兒阿咪梳辮子，抬起頭，正巧看到秦老先生伸在布廉邊的身影，便客氣地招呼著。

秦老先生巴不得有這一請，身子在布廉邊一閃便已跨了進去，臉上堆著濃濃的笑意：『林先生不在嗎？』他同時兩顆瞳仁也跟著到處滾動，然後停留在壁上一張女人的半身照上；照片的背景，一架玻璃酒櫃。

『妙英，這可是你啊？』秦老先生瞇了眼睛，裂大嘴巴直呼她的名字問。其實，關於崔妙英的身世，秦老先生已十知九解了，他甚至知道崔妙英是她現在的這位丈夫林永局以五千元菲幣把她『贖』出來的！當然這些都是林永局所供給的；林永局自己這個人的嘴，就像他底身材一樣的直，但是他的心思，可是詭計多端了。

崔妙英放下阿咪梳罷的辮子，趨前去：『是啊！好幾年前拍的，難看死了！嘻！嘻！』說完，笑得前仰後臥。

『不，不，頂漂亮的，跟現在一樣的年輕！年輕！』秦老先生頂賞臉地稱讚著，眼睛笑成一條小縫，雙手合掌著，比在欣賞一幀名畫還有趣。

『阿爸！阿爸！媽媽叫你！』突然，阿金站在房門口喊著，紅點白底的布廉被掀起一邊。

阿金的出現，使秦老先生一怔，笑開的嘴巴即刻合攏起來，老花的眼睛也張大了幾分。

『有什麼事呀？』他冷中帶寒地問。

『我怎麼知道？你自己去問好了！』阿金目不正視地回答，眼睛只管釘住崔妙英不放；崔妙英依然喜氣洋洋，這倒益令阿金憎恨填胸。

秦老先生在阿金的虎視下，只得掃興地溜走；阿金狠狠地撒下布簾，又睥視了崔妙英一目，接著罵道：

『不害臊！不害臊！』

待崔妙英從房裏追出來時，阿金已經逃之夭夭了！

我獃在走廊邊一排安置著七八個石油灶的長桌旁，烏黑的油煙燻黑了低低的板壁。

崔妙英無頭無腦地白挨了兩句，正是有苦無處訴，剛巧看到獃若木雞的我，便扯著我不放；為免致昏倒起見，我便把施老太太的話搬出來重述一遍，藉此以按下她的火氣；也好讓我的腦海能夠稍為平息一下。

『哎呀！林太太妳跟這種不講理的人鬧氣，就簡直找野牛鬥角哩，到頭來就只有傷了自己的身子，算了吧，這種人是惹不得的啊！』

『是啊！這次你是最清楚不過的了，不是嗎？我又沒有去惹上她一根毛，她平平白白地冤枉人，她有本事，就擋她『老爸』別踏進我的房門口一步好了！自己那個老風騷的父親不管，偏偏管上我老娘的頭上來，真是豈有此理！看我總有一天去收拾她的賤骨頭，再看她還能不能含血噴人！壞貨！騷貨！』

崔妙英一口氣罵了一大串，而且罵起來一句也不會礙嘴，比在數家珍還要順口！

『噢！這個查某仔，你叫什麼名啊？姓啥？你們住在那一個門户啊？你們是做什麼的啊？你的父親……你的母親……』頃刻，她又像中了巫師的邪似地，一下子竟把話題全部拉到我身上……。

※　　※　　※

經過這一次半生不熟的交談後，崔妙英便主動地跟我們親熱起來了，晝夜不倦地往我們家裏轉，幾天工夫，就跟家裏上上下下的每一個人混得爛熟！

一天，鵬弟因『捉迷藏』，而惹怒了阿金，兩人就在巷中大打出手，阿金畢竟是女孩子，總究打不過他，僅交打了幾回，阿金便『媽』的一聲，哭訴著回去；鵬弟則彷彿是打垮了大敵似的『載譽歸來』。但是，十分鐘後，秦老太太便率領了她的兒女們大興問罪之師來了。

她們大夥兒來到門口，碰巧崔妙英正欲返家煮她的午飯，看到她們一隊的人馬，陣容這麼雄壯！便把尚成問題的午飯丟在腦後，索性留下來湊熱鬧。

『洪太太，妳看，我們的阿金被妳家的阿鵬打得不成樣子了！渾身都是傷，這要怎麼辦呢？』秦老太太把阿金拉到母親的面前，左旋右轉地指給母親看。

母親皺眉，連忙向秦太太陪不是：『阿鵬這個孩子，真是越來越不像樣了！等下我非叫他父親教訓教訓他不可！秦老太太請妳原諒，原諒吧！』

『噯呀！孩子那有一個是乖的呢？』崔妙英插口了：『再說呀，一文銅仙敲不響，二文銅仙叮噹響啊！』崔妙英故意拉長語聲，婆婆媽媽地說著。

秦老太太原先以為崔妙英留下來只是想當一名旁觀者而已，倒料不到她竟這麼膽大包天！還幫著人家來跟她作對！她心裏想：

『這個婊子，真是跟她前世有不共戴天之仇，前些時還想勾引我的丈夫，丈夫被勾去了，是「老子」自己沒出息，我倒可以半睜半閉著眼睛做人，然而現在卻動到我的頭上來了，外人又這麼多，如果此刻不狠辣地給一點顏色看，今後要怎樣做人呢？何況，我還是一個『人上人』的「屋主婆」啊！』想到這裏，她的氣升上來了，便不管三七二十一地破口大罵：

『婊子，妳的心肝被狗咬掉了嗎？這干妳什麼事啊！要妳錶子來開臭嘴說臭話！妳閒得心慌了，是不是？心慌了就到外頭去「網」，別在我們巷裏鬧臭事，妳臉皮厚，我們可還薄哩！』說著便衝上去，抓住崔妙英海浪式的長髮，死命地拔，拖，扭，扭得崔妙英臉白眼紅，淚水從眼角裏搾出來。但崔妙英並不就此屈饒下來，她雙手緊捏住秦老太太的掌腕，以減輕頭皮所受的痛楚，一面用她修飾得尖尖的油甲戳入秦老太太乾燥的皮膚裏，秦老太太喊了一聲「噯喲」，便鬆開手。崔妙英趁此千載難逢的機會，反手刮了秦老太太兩個大耳光，那兩聲清脆的掌聲，立刻驚醒了悸愕在兩旁的人們。阿金首先參加進來，接著阿金的兩個姐姐也不再袖手旁觀，劇烈的一場拳戰，眼看已經無法勸阻了，母親便叫我從速去請秦老先生來收拾殘局。

從吳立志的房間裏將秦老先生請來時，秦老太太母女四人正把崔妙英打得頭破血流，母親在一旁急得失去了主意。她想去拉出阿金，又要拉開崔妙英；東也不是，西也不能地急得她冷汗直流。

秦老先生一到，便先把他的太太拉開，再去拉阿金；其餘的那兩個女兒，看到父親的大駕降臨，早已停了手，若無其事地站在一旁。

秦老先生好不容易才把他的四個不平凡的妻女『請走』，留下崔妙英在我們家裏哭著大罵特罵。母親剛鬆了一口氣，又得再花一番心神去勸慰崔妙英，糟糕的是經母親一勸，崔妙英卻越哭越利害，使得母親束手無策；廚房裏又頻頻吹出燒焦了什麼東西似的味道，母親只得往廚房裏走一趟。母親遲未返回，崔妙英卻像觸及什麼似的，突然拔足走出去，連我也不招呼一聲；真是絕情！天曉得母親一向是怎樣客待她的！

※　　※　　※

時間永遠是向前推進的，當它走到十二月時，耶誕節就臨近了。

巷裏的每一户住客已經開始在裝飾他們唯一和外界接觸的通風口——就掛滿了五花十色的小燈泡，又懸了一隻大紙燈籠！是真想把小窗口『燈封』掉！

年關一到，施老太太便每户去推銷她丈夫的大蝦大蟹！秦老先生則逐户去收繳房租！只苦了以勞力換取三餐的房客們，年節不來一番『大吃』，以中國的傳統風俗來說，就簡直不成在過『節』！年底到了房租不付，於情於理多少總抵不過去，要付呢？就真的在過『關』了！唉！年關！年關！真是在過年關了！

十二月二十四晚，說要來救世人的耶穌在母親的肚裏蠕動著。

巷裏獲得了一年中『只此一夜』的寧靜，除了我家，秦老先生和施老先生二家因係佛教徒而獃在家裏外，其餘的住户，都是闔家到教堂去瞻仰耶穌的『初生相』。

突然施老先生發現在吳立志窗口上的那隻大紙燈著火了，火勢向上伸展，眼看就快燒及窗框，施老先生立即竭盡喉底聲地大嚷大罵：

『婊生的！婊生的！著火了啊！著火了啊！你們快出來啊！立志的窗口著火了啊！婊生的，掛那種婊生的燈作什麼用啊？！』

大家慌慌張張地從屋子裏衝出來，一時人聲嘈喳，亂作一場，大家都沒了主意，而只是你一句我一句地破口大罵；倒好像火是可以罵熄似的！

幸虧父親還算清醒，他趕忙返身進去，把房門撞開，慌忙了好一陣子後，火勢才被控制住，慢慢地弱下來，熄滅掉！然而，大家都已被驚得連靈魂都飄散掉了！

翌日，天一微亮，秦老先生便向每一户的户客宣佈，一概把紙燈籠裏的紅燭取下來！不然，嚴厲處罰——沒收！整個燈籠沒收！

人多嘴雜，消息不傳而飛。失火事很快便傳遍了全巷，不但如此，現在且經已傳出巷外，遠近的貧富人家無不知曉這場發生在耶誕節之夜有驚無險的小火驚。吳立志無形中成了一位眾人口中的大罪人，雖然實際上他並沒有罪；因為這件事亦是他自己所意料不到的啊！但在這個社會上，一個『罪人』的成立，並不一定需要靠事實來證明，人們的『話』有時候是最有力的證據！

用過午飯，父親正預備小憩，突然一位在保險公司裏任職已數十年的老朋友駕臨來訪。談了一陣後，他便把話頭轉入主題，想來這大概也是他此次造訪的主要目的吧。

『老兄，聽說昨晚這裏失過火，可真的嗎？』

『嗯！那是他們太粗心大意，只要能謹慎小心就不會有這種事了。』

『但是老兄啊！人有旦夕禍福，天有不測風雲哪！再者這條巷又那麼複雜，你們一家謹慎倒可以，但總不能擔保數百人都跟你們一樣啊！是嗎？不是我想做生意才向你招保險，事實是那有一帆風順的人生！保六七萬塊！這總比無保「半仙」來得安穩！』

『噯！老吳你怎麼盡管跟我說這種不吉利的話啊？』父親好容易才有說話的機會。

『我是「腳踏實地」地說話啊！就以昨晚來說吧，要不是及時撲滅。今天不是什麼都完了嗎？這就說，人應為明天預防！』他搖擺著頭，揮著手，說得頭頭是道。

『好吧，保一萬塊。』父親考慮了一會才說。

『一萬！一萬夠什麼？！單只你們的棧房就超過三萬塊了啊！這樣吧！保五萬塊，五萬在你們來說實在一點也不多。』他滿有獨斷獨行的把握。

『不！不！你可不能這樣劃下去！還是一萬，這是不得已的，如果不是想留一塊酵母作本，這種錢我實在拿不出去！』父親口直心快地說。

『唉！老兄，你的妻子兒女遇到你實在是太福氣了！一仙都捨不得花掉，連這種有利可圖的錢也捨不得拿出來！唉！……』他笑著搖搖頭，打開公事皮包，寫了一大堆文件，走了。

日子在爆竹聲中過去。

一九五九年接替一九五八年所遺留下來的宇宙寶座。

人們在生活的軌道上前進，生活的軌道則在日子的路途上伸展……春去夏來，一年容易又秋風。

正是秋末的十月下旬，這一段比較清閒。一天晚上，我們全家人乘興去看一場電影，這是一段難得的機會；一年三百六十五日中，我們的確難能有這麼一個全家出發的機會，從戲院出來後，父親還難得忍痛破鈔，請全家喝了一頓紅茶。

回到家裏，已近乎子夜了，大家一上床便抱頭大睡；天多高？地多厚？管它！反正無暇去想了！

朦朧中，我被一聲驚心動魄的叫喊所擾醒；叫聲在這萬籟俱寂的子夜，越發顯得恐怖。漸漸地我聽得清楚了，那是：『火燒了』叫嚷聲，接著我的呼吸受到阻礙而幾乎窒息。當我睜開疲澀的眼睛時，我看到整個房間正濃佈著濃煙，而燒焦的燻味也越來越濃；我倏地爬起身，順手把睡在身邊的雪妹拉起來，我們咳嗽著衝出房門，廳間已是一片茫茫。就在此刻，父親也揉著惺忪的睡眼走出來，但匆忙地下樓去，濃煙罩迷了他的視線，再加上心慌，父親走不到幾步便從樓梯間跌下去，但稍息他又堅強地站了起來，我看到他白色的背心和條紋的睡褲消失在梯下冒著濃煙的角落裏，又過了一些時，我聽到開防火機的聲音在嘶——嘶地響；父親是單獨在搶救這場不可預測的火災。

我靠著熟稔的位置摸索到電話機旁，用發抖的手指撥給夜宿在店裏的兩個哥哥。濃煙使我說不出話，我只能斷斷續續地說：「快來！火燒了！……我不知……道……什麼地方……快來救火……」說到這裏，我不禁流下了眼淚。

母親在房裏，她一時把鎖鑰遺忘掉，我幫著她翻箱倒篋，然而那串鎖鑰依然無形無蹤。母親默默地淌著淚珠，濃煙卻又無情地緊緊把我們包圍住……。

父親喘著氣奔上樓來，剎那間，他像老了好幾年，是憂鬱、苦痛壓老了他！

『快退下去，退下去！』父親簡截地說了這兩句，便把母親半勸半拉扶下去。我跑到廚房，把顫抖在水嚨喉邊的鵬弟和雪妹志妹拖著跑下樓梯。

火已燒著了二樓的木板，我們冒險逃出了火神的魔掌。逃到巷間，已是人影恍動，人聲囂嚷。我抬頭回望看到血紅的火舌正從母親睡房的窗口伸吐出來：我的心往下沉！沉！沉！

跑到巷口，救火車來了，我把奇蹟寄望在魁梧的救火員身上，我把希望附註在那一管的大水龍條。我想：

『救火員來了！至多是燒掉我們那兩個門户，但願他們能保住其餘的住屋才好！

菩薩啊！別把災難帶給無辜的人吧！』

我們退到人行道上，大哥和二哥方趕到，二哥把他腳上的拖鞋讓給父親，父親望著他，搖搖頭；十多年的心力血汗！他滿腹悲痛！

爸爸看著二哥，二哥那張充滿了生命底毅力的臉兒，再恢復起父親『重創』的信心，走了幾步，父親又轉回頭去，默望那火光滿屋的家。

『爸爸，錢財失掉了，我們還能賺，現在，我們只希望能保全每一條生命了！爸爸，你應該想開一點，後頭的事還多得很！』大哥也在一旁勸慰著。我和二哥扶著母親顫抖發軟的身子，一路上無言地走著。

將近黎明了，清晨前的夜風吹襲著我們抖縮在睡衣裏的身體；我的淚在眼角，在日光的照射下閃光。

行行重行行，我們今後的住宿處——店裏，已在眼前。這段平坦的柏油路，此刻在我們的腳下彷彿是一段坎坷不平的曲徑。

※　　※　　※

隔日，正逢亡人節。

街上行人稀少，崔妙英在她的丈夫的陪伴下，突然出現在我們的店中，他們沒有上樓去，母親正孤坐在床沿上對著窗口沉思。

崔妙英一見母親，便一把淚水，一把鼻涕地哭起來：

『洪太太，你們很失德哦！燒得我們一乾二淨了！』

『妙英，難道這是我們所喜愛的嗎？佛祖有眼，祂會知道這是怎樣的一回事。我的心抵得過天，只是抵不過同住屋的鄰居們，但，人情相寄藏，我活著永不會忘記這場害你們慘受損失的火災。』母親的眼圈呈紅了，他從右邊的衣袋裏抽取一條手帕，輕輕地擦著眼角。

「你們有保險，而且還有一處生意做，而我們已斷掉三餐了。洪太太，我們跟你商量一下，撥三千元幫助我們買傢具買衣服吧。」崔妙英的丈夫盯著三角眼道，妙英暫時靜息在一旁。

「林先生，這是我們助人的時候嗎？有錢我們也不能在這個時候拿出來啊！你知道外面會怎樣傳説嗎？」母親捏盡心血地解釋。

崔妙英夫婦見母親這樣堅持，預期的效果失敗了，便滿臉不歡地回去。

※　※　※

親戚們絡續地來探慰災後的我們；人們溫暖的一面烘熱了我們冷冰冰的心

崔妙英不再露面了，但我們縱火的謠言卻在街頭巷尾蜚短流長地傳開來。

這個打擊非同小可，我們像被無情的鐵鋏夾進污泥之中，冤枉地弄髒了我們的名譽。父親並不打算替自己辯護，他説：

『勞動出身的人，會想去做暴發户嗎？社會人士的雙目是光閃閃的，大家心裏頭自然會明白！』

然而，謠言愈傳愈逼真，這應歸咎於我們『緘默』的過失！有人說：這個世界那有真理的存在？！又有人說，『真理不怕火燒的？』！那麼就有讓真理來接受人言的挑戰吧！縱使在這個時境中，真理已被可畏的人言所埋葬了。』

懷著一顆沉重的心，帶著一腔憂鬱情緒，我去探望已成一片廢墟的舊居，沿途我忍受了人們的冷峭的眼光，人們卑夷的譏笑。世事的變幻，人情的冷暖，不禁我感慨傷懷——景物不在，人事全非！……。

謠言並不因我們底沉痛的默抗而停歇。在這個唯利是圖的商業社會中，人心就好似是一個堅硬的土罐，專尋軟土而挖！

再隔了幾天，居戶們居然組織了一隊以崔妙英夫婦為首的『索賠償隊』前來威脅我們。

憂鬱和氣惱掠奪了母親的涵養，而父親卻從容不懼地向他們宣佈：

「鄰友們，假如我們是縱火者，那麼必定保有一筆相當可觀的保險費，是嗎？那麼你們儘管去細查全岷市所有的保險公司，看我們保了幾百萬以看我們是什麼「派人」？看我們會做這種事嗎？請你們大家走吧！總有水落石出的一天。」

※　※　※

雖然事實終於壓倒了謠言，真理終於戰勝了可畏的人言；但是我們的名譽已受了冤污，我們的自尊心已經被戳得血流淋漓了！

時間能澄清卻抹不掉創痛刻在人們心版上的傷痕。

四年過去了，這道痕依舊很清晰，但我們有足夠的勇氣去繼續掙扎在這個黑暗的社會中，因為真理正存在於世界每一個小角落裏！真理正不斷地賜予信仰它的人，以無限的求生底勇氣！

載一九六四年三月廿九日《華僑週刊》

缺陷的生命

為什麼天下的母親都能夠為她們的兒女而付出自己的一切，犧牲自己的一切，而我的母親卻不能？

為什麼天下的兒女都能夠全心地敬愛他們的母親，而我，為什麼我卻那麼地痛恨我的母親？

這是前生結了的冤嗎？抑或是此生將造的孽？

才十五歲，這個年齡的我，應該還算是一個孩子，一個比較大了些的孩子吧？但我已開始去接觸悲哀了；當我知道什麼是美，又什麼才是幸福的時候，我便懂得為自己可怖的命運而悲傷，為自己即將會是暗淡的生命而哭泣。

當人們知道我是出自一個富豪的地主家中時，誰都會羨慕我的榮貴，但誰又會知道我的那段長長的童年都是在冷漠漠，陰沉沉的歲月中渡過的？沒有愛，也沒有溫暖。在這個龐大的，容納著三十多人的大家庭中，我找不到一點的愛，也得不到一點的愛，也得不到一絲的溫暖，即是從唯一跟我相依著的母親身上，也乞討不到，更不必說到別人了——那些威凛得使人心寒的前一輩們，以及那些驕慢得令人畏怯的從兄弟，從姐妹。

童年的夢，總缺不了母親的影子，然而我的夢卻很少有母親的痕跡。在我矇矓的記憶中，我還能依稀記得，在每一個年頭和每一個月中，除了過年過節，或家中有喜慶之外，我總是被母親帶到外婆家去，被母親孤零零地扔在外婆處，過著漫長的寄人籬下的生活。

外婆也許是疼愛我的，可是在她老人家的膝下，已有了許多的內孫兒女分奪了她所有的愛。我想：假如不是我的那些表兄弟，表姐妹，我相信我將可以從外婆的慈愛中，享受到一點愛的溫暖，然而，我終究沒有享受到！

在這段日子裏，世間的一切，都好像跟我遠離了，它們都在疏遠我，甚至連母親，我是很難得見到母親的，她就好似一隻脫了籠的金鳥，飛出去了，要到疲憊了的時候，才會飛回來。我不知道她飛往那方，更不知道為什麼要飛出去。

母親對我是冷淡的，漠不關心的。這種情形使我不能不懷疑到一個母親對一個兒女的感情，真的是親切的嗎？是篤誠真摯的嗎？我疑惑了——

四歲，我才學會步行，原來我竟是一個兩腳不齊的「拐子」！一切的不幸，毫不放鬆地降落在我一個人的身上？祇是年幼的我還不知應該為自己而呼喊不平，也不懂得去抱怨和咒罵造物者的殘酷。

「這孩子的腳怎樣了？」每當我一拐一拐地走起路時，只要家中有了外來的客人，他們總是這麼驚訝地問：

「是胎裏帶來的呢！天生成的，也教人毫無辦法！」母親也總是用帶著憂慮的口吻回答；兩道彎彎的眉一起在鼻樑上皺起幾道淺淺的波紋。

像這樣一問一答的對話，聽得太多了的我，也就相信自己的殘廢仍是天生成的，雖然是賦有生命的，然卻是有了缺陷的人體！

我漸漸長了，隨著年齡而增加的是知識，知識使我知道了什麼是好，什麼是壞；又什麼是美，什麼是醜。為了逃避又一次聽到人們叫喊我為「拐子」——這個使我感厭惡又難受的別號，我終於把自己孤獨地留在人群的另一方，做一個寂寞透了的人。

夏天，好不容易地過去了。

秋天裏的風已開始呼呼地刮著，刮下了滿階前的落葉。外婆家門前的那兩棵大樹禿了，餘下了枯瘦的枝子在半空中。秋的景色，使大地一片凋零。

院子裏，滿是秋虫的悲鳴。我孤獨地靠在欄干上，沈思在秋月清靜的寒光下：「母親怎麼還不回來呢？」當我寂寞得想哭的時候，我還是會想到母親來的。

我又看到母親了，但那已經是在秋天的尾聲。

正近冬天的夜裏，有一層足夠侵入骨髓的寒氣潛伏在空間。收拾起碗筷菜肴後，大家便各自溜進房間裏，誰也懶得去惹誰。

我把自己緊緊地藏進厚厚的綿被裏。放在床頭上那隻火籠，在昏暗裏冒出白色的，像薄霧般的輕煙。一陣一陣的熱氣，烘暖了床上的被窩棉枕，溫和了蚊帳裏的被褥。

母親就一直坐在書案前那張朱丹色的，繪有花紋的長椅櫈上。雙手腕毫不移動地托住下巴，好久了，我猜測到她準又是落在自己的沈思中，像往常一樣地又得耽上好幾個鐘頭。

椅條旁的火焰，外面有梆子敲響了的聲音，夜更深了，四周更是寂靜得可怕。我剛闔上疲澀的眼皮，虛掩著的房門忽然被輕輕地推開，隨著一串的門響後，外婆邁著蹣跚的步子進來，雙手交插進袖口裏取暖。在她的頸上圍著一條毛線織成的灰色圍巾，身上穿著一套黑色的衣褲，頭額上圍著的，也是黑色的額巾。上下一身是黑，黑的色調把外婆逞顯得更蒼老而衰弱。母親依然僵坐在那裏，仰首沈思。外婆的蒞臨對她好像是毫無所覺的。

外婆謹慎地，輕輕地坐落在床沿上，深恐輕小的鬧聲會驚醒睡在帳裏頭的我，她老人家又那裏會知道我早就因她的到來而沖走所有的睡意呢？但縱然如此，我還是深深地為她的愛所感動。

「孩子都這麼大了，妳也該死了這條心。」外婆終於用她溫柔慈和的聲音說出這兩句無頭無腦的話，房子裏的寂靜打破了。略略地停下後，又道：「當初即是你父親硬自主下來的事，但錯也錯過了，俗語說得好：「一錯不能再錯啊！」

「像這麼下去，怎得了？紙總究是包不住火的。到那時你沒命了，我……。可也……活不下去……」外婆悲傷地哽咽，一邊扯起闊闊的袖口抹掉眼眶外的淚水，話說不下去了。母親依然僵坐著，好似一尊凜然的石膏像。我從內心處湧起一陣忿怒的反感。

「這是命，命運註定了的，誰也休想去改變它」。外婆又斷斷續續地說：

「女人貴在于貞節，出嫁了的姑娘就應該嚴守婦道，你不稀罕名譽，但可得給我留下面子做人。我還想活下去呀……」外婆的話，在靜夜中顯得特別的響亮。

「夠了，夠了，我聽夠了，娘……」一直緘默著的母親終於用她顫抖得厲害的聲音打斷外婆的話，接著把整個臉孔埋進掌心裏，默默地飲泣，淚水溢出在指縫間，流了下來。

躺在床上的我，不禁也偷偷地淌下淚水，我不知道自己是為了什麼而哭，是為外婆的哭聲嗎？還是母親的飲泣？但我覺察到那時候的我卻是那麼出奇地悲哀和傷心。

經過些時的沈默後，外婆又開口了：

「在娘家一耽就是大半年的，讓人家說起來總不像話。明天還是回去吧，年節也到了。免得在嬸伯間惹起話。好好照顧珠兒。這孩子也怪可憐的。那隻腳。誰敢說不是你造的孽。」外婆自言自語地說，好像是教訓，又像是叮嚀。但她最末的兩句，簡直像一把利刀，重重地刺進我內心的創傷處，我再也控制不住淚水的洶湧了，一串串的淚珠沿著兩頰淋濕了蓋在頸上的被窩，以及貼在腦後的棉枕。

「我的腳，是母親造的罪！」外婆的話，迴響在我的腦海中；一次又一次地重覆著。多少年了，我現在才得知為什麼我會是一個「拐子」？天哪！這該是一個多麼可怕的答案。

自此以後，母親被我恨定了，深深在心板上，我成了一個不孝的罪人；然而，我並不因此而認定自己是一個有罪的人，因為我並沒有錯！

冬天已過去了一大半，外婆三番四次地催促我們回家，同時家裏也放轎子來。無可奈何地母親只得收檢起包袱，讓轎子把我們扛回到那個將快陌生了的大宅院中。

家是一棵古老的大樹，我和母親則是兩片點綴在樹枝上沒有生根的葉子；不斷地掉了下來，也不斷地離開了它。在家中住了三個月，母親又帶我離開了！但這次可不是再到外婆家去，而是來到一個人地生疏的地方——香港。我們就這樣擱住下去，外婆處和家，都不再返回去了！

一九五七年的春季，長年飄泊在南洋的父親回來了，在我十年的生命中，跟父親見面這才是第一次。父親對於我來說縱然還是陌生的，但我已經把美麗的遠夢寄托在他的身上——我期望父親賜予我快樂。

父親沒有使我失望，他是世界上唯一能關懷我，疼愛我和瞭解我的人。他常常這樣對我說：

「兒女不嫌父母貧窮，父母也不嫌兒女醜缺，何況我們的阿珠又是長得這麼美麗的，又比誰都來得強。」我笑了，父親的話會教我忘記自己原是一個有缺陷的人，也會使我忘掉了不愉快的往事。同時也使我漸漸地培養起久已埋葬的自信心。

然而天下沒有不散的筵席，世間最短暫的，還是歡悅的「團聚」。兩個月過去了，比兩個黃昏還快，父親無限依戀地踏上飛機，飛到天空去，走了！我沒有哭，我知道我即使是哭啞了聲音也不能把父親留下來，因為父親曾說過：「他必須回去，不能不回去的。但他會再回來，不然他會把我和母親接到那邊去。」

以後的日子我更懶得移動，不由我對時間產生了懷疑，父親走後，至今算起來也只不過是三個月的時光而已，然而我卻已感到已過了大半個世紀！嗳……期待的日子，就是這麼難熬的。

生活對我是一泓死靜的河水，永遠是那麼缺趣，刻板而單調，但現在這一泓靜水可也激起了一些波瀾了！引起這一陣漣漪是母親再次懷孕的消息。我說不出內心的喜悦，一種欣慰的快感不時地佔據著我的心房。我不再孤寂了！」我常常默默地在內心喚著。然而，以後的情形都使我深痛而失望，母親竟計劃著打胎！於是，我好幾次看見母親跪著煎藥，打針，在一切都令我傷心又失望之餘，我只有作我能力之內的祈禱，虔誠地禱告：「願萬能的神靈早日使我母親覺悟。」

父親果然沒有欺騙我，在他離開後的第四個月，我和母親便被接到南洋來了，母親墮胎的計劃，也就無形中被擱下來，一條新的生命也就因此而得以誕生。

當我滿以為一切的不幸和悲傷，都即將結束的剎那，又豈知另一個不幸又殘酷地降落在我們的周圍？這個世界是不合理的，不然不幸的人就不應該老是被囚在不幸中浮沉的。

是母親臨產的那一天，父親帶著我守坐在醫院的走廊中，四周靜靜地，只有父親不時站起來踱著步子的聲音。

過了一段不算長的時間，那扇自始至終就是閉得毫無露縫的白門啓開了，走出一位穿著白大衣的女醫生。父親趕緊著迎上去，就在門邊他們交談著一些我聽不懂的大家樂語。接著那位女醫生帶著歉疚的笑痕走了，父親則帶著滿臉的憂鬱坐在我的身旁。一種不幸的預兆迅速地掠過我的腦海，悲痛又偷偷地潛進我的心裏。

就在這時候，母親被推了出來，她躺在推床上睡著，很安然，我看不出有什麼差錯來？剛才的難受也就不翼而飛了。轉身看看父親，他正跟另一位穿白大衣的女醫生交談著，旁邊還有一位女護士，在她的懷裏抱著一個嬰孩，我知道那一定是我的弟弟了，不然就妹妹。一股初為大姐姐的興奮催使我奔向前去，毫不畏縮地撲向女護士的跟前。我終於看到了，有一張白嫩的小臉孔，甜極了！但——老天；怎麼右手少了半截呀？唉！又是一條缺陷的生命！

「醫生，這……」父親老久吶吶地說不出話，面上的憂鬱比剛才更多了。

「先生，這是不幸，造成這不幸的，我想……」那位女醫生停了一下，顯得很為難地道：「也許於母身懷孕時，曾服過激烈性的藥物，以至胎身受損所致。不過，若設是天生成的，當然也有這可能。」女醫生用很婉轉的口吻說，嘴角挽強地裂出一絲淺淺的，帶有同情和勸慰的笑。

「造成不幸的」，「藥物」，女醫生的話，使我恍然大悟，同以前外婆說的那句話：「誰敢說不是你造的孽」又勾起了我的記憶來，現在，我明白了！什麼都明白了，兩條缺陷的生命！天啊！為什天下的母親都能夠為她們的兒女而付出自己的一切，犧牲自己的一切，唯獨我的母親不能？為什麼天下的兒女都能夠全心地去敬愛他們的母親，而我卻怨恨我的母親？是誰的錯？是誰的罪啊！

寫於一九五九年

一顆子彈的故事

執掌菲律濱政權長達二十餘年的費蘭‧馬可斯總統逃亡夏威夷後，曾被剷巢得四分五裂的新人民軍，一度已告寂落。然在新政權接替後，又告猖獗且放恣囂張，凡散居於市郊外的居民，沒有不受其傳遞的密函而受威脅恐嚇，人們談虎變色，奈何沒有對付的良策，唯有生活在自危不暇的驚恐中，任其剝削。

一個晴朗的日子

天還不太亮，住宅區內因車輛稀少而顯得靜寂，突然自街中心，一輛塗青油漆載著兩個學童的人力三輪車，狠狠地自街中心，斜衝到正停泊在一幢住宅大門前的紅色牙蘭牌的私家車上。

「円！」！破天荒似的一聲巨響，割破了密佈在街燈尚曚曨的四周。

隨著這一聲震耳的爆炸聲，從住宅裏跑出來一位七十多歲的老婦人，她的腋下夾著一隻灰色的大皮包。在她的背後踉蹌地跟跑著一位三十歲樣子的菲律濱漢子，他們驚慌地半走半跑著來到這輛剛從計順市車行裏馳回來的簇新車子。

只見那輛青色顯得破舊的三輪車，它的一隻輪軸正插入紅色牙蘭汽車前左輪的輪胎上，輪胎刹時癱瘓得如一圈放掉了空氣的汽球，臥皺在黑黝黝的柏油道上。

「還好，阿嬤，只是車輪而已，幸好車身無大礙，真要感謝天主！」菲律濱男子面部的表情，由凝重而輕鬆，笑裂著兩片厚厚的唇。

「什麼叫無大礙啊？車輪都砸爛了，還說沒有礙？你知車輪一隻要多少錢嗎？」老太太橫著眼珠子把菲律濱漢子教訓了一頓。然後喃喃自語著：

「不知天高地厚，別人家的錢，當然花不疼啦！」幾乎這場橫禍是他惹來似的。老太太不干休地嚕唆著：

「快快把他攔住，不能讓他走掉！」老太太突然精明起來，乘著小空隙指揮著菲律濱男子行動。一邊轉過硬朗的身子返回屋子裏走。

菲律濱男子名范那，是呂宋北部武力干省人，中等身材，人老老實實的，在這個住宅裏已當了二年的司機，是專侍候老太太的。雖然常因語言而與老太太不能好好溝通，在平白受指責或誣賴時，倒也曾捲起舖蓋想走，然而都被老太太的一對兒媳婦給留住了。

「不能放他走！」老太太又叮嚀著司機，不放鬆地堅持著：「他一定要賠，路那麼闊，偏偏就要歪近咱的車子？真沒道理！」老太太邊吆喝著邊急轉入屋裏，把尚在睡眠中的媳婦叫醒。

哆！哆！她猛敲著房門，等不及裏面有否回應，便管自直截了當地嚷開：

「珍珍，我的車輪被砸破了，你還不起來跟他理論，要他賠不可。」老太太情理並茂地催促尚在房中的媳婦。

珍珍從睡眠中驚醒，慌慌張張地拖著一雙紅色的拖鞋，半披著外套跑出來，驚魂未定地傻著一張口，面對著老太太問：

「媽，發生什麼事了，害您這麼驚惶？」珍珍倒是掛心起什麼事情讓老太太受了驚慌。

剛才在睡眠中，珍珍彷彿聽到一聲爆炸聲，倒以為是幻覺而已？在這個年頭，就屢有爆炸的案件在岷市發生過，敢情現在已轉移陣地到住宅區來了？一想及此，倒真教珍珍全身慓抖起來。

「是我們的車子輪胎被一輛三輪車給捅了一個洞了」老太太激動得聲調高昂，倒是說話的節奏卻放緩下來，一字一字頂清晰地向媳婦說著，唯恐被她從睡眠中喚醒的媳婦，這時頭腦還不夠清醒。

「噢……」珍珍如夢初醒，心中倒是大大鬆了一口氣。「那，那三輪車夫怎麼說？」她接著問，眼睛轉向站在門邊的司機范那，欲從范那的口中探悉對方的意向。

門外街上，那輛三輪車子正與紅色的牙蘭牌私家車碰在一起，兩個輪胎正接吻得緊緊的。一位五十開外壯健的菲律濱男漢騎在單車座上，旁邊蓋蓬的車座裏畏縮著兩位六、七歲大的男童，穿著白色波洛衫，藍色短褲的學校制服，兩隻褪色的卡計色書包，橫擱在身邊的小空隙間，一看即知；那是一幕父親送兒子上學的情境，珍珍的心情隨即寬鬆了下來。因她深知一位富有眷顧家庭情懷的男人，心中一定有一份濃濃的愛。

「叫您起來就是要您去跟他理論，路那麼闊真沒有理由要撞上咱們的車子？！眼睛瞎了不成？要不然就是明知故犯？妒嫉別人有錢？」老太太雖然年歲高，然口齒俐落，只是苦於打家樂話學了五十年還是說不上口！現在年齡大了更學不上道，每想到要靠下輩來傳譯，胸中的一團火便憋得發燒。

「媽，那有這種事？意外總不能避免的吆？」珍珍突然壯起膽來為三輪車夫作解釋，只是聲調壓得頂柔和的。

「哪……他總該賠錢吧？這樣該不算是誣蠛他了吧？」老太太冷不防媳婦敢這麼頂撞他，心中十分不悅，說完這句她認為天公地道的公理後，瞬即把話題一轉開：

「當然了人老了就不中用了！這年頭誰還要把老人的話當話？我說啊：真該收入棺材了！」老太太怏怏然把心中的不痛快，像平日那樣地渲洩著，後又帶著委屈的口氣道：

「怪不得三個死傭人都不聽我的吩咐，有人舉旗作樣麼！」

清晨的寧靜被這一道橫禍攪得氣氛濁污。家裏的三個女傭人，分別從廚房間，廳中跑出，聚集在大門邊窺探著這一場爭紛，餐桌上的抹桌巾帶著沾上麵包粉沫，被一個腦後梳著圓髻的老女傭擰在手中，另兩個比較年輕的女傭倒是悠兮閒哉地，還帶著幸災禍福的表情，望著那位三輪車夫瞰笑。

她們想著：「這下子你沒命了！捅破阿嬷的車子，算你倒霉倒到頭了！」

珍珍蓬鬆著頭上的髮絲，頂著漸漸熱起來的太陽步近三輪車旁，再一瞄泊停在門邊的自家車，果然那輪胎已癱凹在輪軸下。

「老兄，怎麼辦？這隻輪胎還是新的？看起來那個洞是沒辦法修補的了？」稍作片刻停頓後，珍珍憋著氣，瞄一下對方繼續道：

「看起來你得賠我們一隻新的輪胎了！」

珍珍的話使得三輪車夫駭得一大跳，他做夢也沒想到，得賠出一輪新輪胎？

「太太我不是有意的。」接著恂恂地哀求：「我們賠不起的！」雖然他還不知道一隻輪胎要多少錢？但他鐵定那會是一條他們付不起的數目。

珍珍被他的哀求所感染，又動了惻隱之心，然而回頭一想：自己又莫能作主，只好沉默著，返回屋裏向婆婆稟告對方的話。

「媽，那菲人要我們可憐他，他實在賠不起那隻輪胎！」

「沒錢！那把他的三輪車扣留下來，等他籌備了錢再來贖回！不就得了嗎？」老太太精明而鋭利的腦根，確實令人佩服，只是此刻確令珍珍不能苟同她的做法！

「那怎麼可以，媽，那輪車子是他每天載孩子們上學用的呢！」珍珍從中斡旋著，欲能改變婆婆的心意，接著建議著：「讓他多少賠一點算了！」當她再欲替三輪車夫向婆婆講情時，卻被婆婆冷唆的話駁回去：

「是啊，老人的話如耳邊風了，既然那麼能幹，還來問我作啥？」接著提高喉嚨，嘶聲道：

「要可憐人難道我不會嗎？有道是『殺人賞命，欠債還錢』，損了人家的東西，當然得賠錢。他憑什麼道理不賠賞我們的損失？我們的錢難道是從天上掉下來的啊？豈有此理！」老太太被這無理的要求，氣得混身發抖，在她的生命中，最豐富的貯蓄，是有一倉庫頭頭是道的大道理，且每一開口，便不可抑止。

「有道是『有理走天下』，無錢是理由嗎？窮人就可以橫行霸道了嗎？這是那條道理啊？他就是告到法庭上，也勝不了，他憑什麼資格要佔人家便宜？」老太太管自對著三輪車夫評理。雖然她說的是閩南話，但那位三輪車夫能憑直覺猜測老太太是對著他發牢騷的，衹是，也僅僅只以為那是一串牢騷而已。

珍珍雖沒讀過四書五經，然對孔子的儒家思想，中國的傳統孝道經典，倒是銘記在心：

「上一輩人的旨意是不可容抵觸的，父母的命令更不可抗拒」：所謂『天下沒有不是的父母』，這些戒命皆堅不可動搖。

珍珍靜靜地縮身在門框，對眼前這檔辣手的事端，確使她為難：一邊是人道，另一邊則是孝道，何拒何從？她迷惑於中國傳統與西方潮流混合的華僑社會中的華裔家庭裏！

婦女所必承擔的美德：「順從」，在禮教的規範裏莫能逃遁。她終於俯首下來抹著憐恤的一顆心，以孝道作盾牌，去面對不人道的衝刺。

珍珍以沉重的步伐走到三輪車夫面前，陽光把她的倒影重重地印在柏油路上，就像她的心情那麼沉重地。

「老兄，假如你目前缺錢，那我們只有不客氣地把你的三輪車扣留下來了！」珍珍費盡口舌與三輪車夫據理交涉，最後的結論是：「賠錢！」，要不然「押下三輪車」，別無選擇！！

老太太這一下才滔心愜意地心平氣消下來，她拉了一把椅子就靠在大門邊坐下來，同時急躁著吩咐司機趕緊換掉癱瘓的輪胎，她有重要事件欲往馬尼拉的王彬街。

珍珍在三輪車夫眈眈的虎視下，戰戰兢兢地由家裏的女傭人，幫她把三輪車拉進自家的泊車場裏，就擱放在右角的牆邊。

三輪車夫把那兩隻書包往肩上一掛，一手牽著一個孩子百般無奈地走開。一路上只見他頻頻回過頭來張望。也許他要牢牢地把這一家子記住！或許他尚盼望著這一個人家會改變初衷，讓他再把車子牽回來！？

這一場拉鋸了一個上午的糾紛，總算有了結局。祇是：

珍珍百感交集，那份深藏在心中過意不去的感受，使她心情沉重得惶慌。

她返回臥房，把剛才發生的情況一五一十地向丈夫吳大偉講述。

吳大偉在洗手間裏邊盥洗邊聽著，突然鐵青著臉孔走出浴門道：

「您們何苦跟窮人鬥啊？」沉默了片刻，把手中的臉巾往盆中一扔，又道：

「我看事情不會那麼簡單，人家三輪車可是一條生活的路，我們把它給扣住了，不等於斷了人家的生活嗎？真是的！」接著帶點埋怨的口氣說道：

「您是有主見的人，幹嗎要縱容媽這麼做？」

「我很為難！你知道媽的脾氣吧！」珍珍解釋著：「何況我認為外人總比媽好商量，再過一會兒，三輪車夫一定會再回來跟我說情，到時候再把車子退回給他，不是解決了嗎？」珍珍一廂情願的構想，倒把吳大偉給鎮住了。

「希望是這樣！希望是這樣！」吳大偉重複地回應著，他壓根兒希望著真的會有這種場面出現。

但從中午直盼到下午，眼看黃昏西斜的夕陽已將西沉，猶不見三輪車夫的影子到來！？

橫懸在珍珍心中的憂慮，隨著時間一分一秒地增加，她不得不在心中敲定著：若再過三天還不來，就該想辦法把車子送回去！不然，萬一反被誣告，被索賠償，那才冤枉死了！

日子在揣測與憂慮雙重負坷中越過三日。一個清晨，珍珍在餐廳裏正預備用早點，在園子裏修剪花草的花匠，驀然看到一封白色的信箋從大鐵門縫下溜進來！凸凹的一小包。他置疑著把它從地上拾起來，也不暇去看收信人的姓名，便慌張地往飯廳裏跑，一眼看到珍珍正坐在餐桌邊的軟墊椅子上用餐，便不假思索地把信封遞上去。

「太太有一封信！不知是誰送來的？大清早，也不見有郵差的人影。真怪喲……」花匠疑狐滿腹，半喘著氣說。一雙赤足踮在大理石地上。

珍珍接過信封，只覺掌中沉甸甸的，好像裝了一塊鉛，心中滿是疑惑。隨即盯住信封上面的筆跡，三字扣人心弦的字母ＮＰＡ（新人民軍），赫然躍現在視線中，珍珍剎時被這三個字母嚇得魂不附體，一陣寒抖直入心窩。

她顧不得拆開信封，三步作二步直衝臥房，把被窩裏的丈夫喚醒：

「大偉，快起來有一封ＮＰＡ的信！」。大偉一把掀開厚綿褥，猛坐起身兩腳垂落在地，夫婦擠著身子，四隻眼睛專注在剛拆開的信紙上：筆跡不齊的打家樂話，寫著：

「今天是你這一個不仁慈的女人的死期，有一顆子彈將要打開你的腦袋！我也不會放過你的家人，就像你可惡得不會憐憫我的家人一樣。

一位新人民軍」

讀完信的內容，珍珍即刻恍然大悟！原來是一樁報復的仇恨。三輪車夫的影子即刻掠過她紛亂的腦海，她已不必再費腦筋去思考，便能斷定出誰是寄信人！

「我就知道會出事！」吳大偉把信摺起來，臉色由紅轉白，再由白轉青，神情凝重。

「我們即刻離開此地，不能緩遲，新民軍的手法跟土匪一樣。」他即刻作出決策，讓家裏的人保住安全，兩夫婦再商議，決定投奔大舅家避風。

大舅家是在人口稠密的市區內，若新人民軍要下手的話，會有相當的難度。

把事情作緊急的安排之後，大偉夫婦再將全盤事態向老太太稟告，老太太則交由弟妹接去奉養，待事件平息後，再接她回家。

老太太聽完事情的始末，氣憤填膺，一邊罵道：「新人民軍根本就是一群土匪，與咱中國當年的紅軍比，差遠了！」老太太侃侃地談，眼前緊急的處境，已被拋往腦後：

「當年紅軍到處，人民無不歡呼迎接，咱們的紅軍不搶不取，不擄不姦，風紀多好啊！那像新人民軍，不是放黑單要錢，就是向附近生意人威脅敲窄，無惡不作，唉……」老太太愛國情操漾溢于言談間。突然刹住話題，像西北風轉舵般地改變了語氣，滔滔地向媳婦教起訓來；

「古人說福居財，量居子！您啊，無量才會惹出這個禍，對窮人要有施捨的宏量，一輛三輪車才值多少錢，您偏偏要斤斤計較。」稍作喘息，又道：

「現在弄得家破人散，看要怎麼辦了！」老太太既憂慮又氣苦著，珍珍先是弄得一頭露水，續後卻不免不百感交集，最終也只有聽天由命了。

吳大偉一家為逃避一顆子彈，便過起逃亡般居無定處的日子，稍得定神之後，吳大偉籍著人事的關係，拜托住宅區裏的管轄區長，四處打聽三輪車夫的行蹤，欲籍溝通來化解彼此的心結。更為表達妥協的誠意，吳大偉還一面吩咐司機把三輪車子，原封不損地由「描籠涯」地方管轄辦公室保管著，並留言任何時候他都可以無條件來領回。

折騰了一個把月。

聽說那輛三輪車已不見蹤影？至於那位寄信人：也始終沒能追蹤出！

事態凝成一件懸案。吳大偉一家人如受困於水溝裏的蟑螂，過著驚惶失措的日子，而寄居的滋味，又如窗邊的風塵，失去落定的安逸。

為了挽救臨於崩潰的精神城壘，吳大偉只得硬起心腸把原居住的房子賣掉，以撲滅那位新人民軍心中的仇恨火苗。

祇是，是否能就此結束一場災禍，還是一個未知數！因為三輪車夫與「新人民軍」，是否係同一個人？而三輪車是否已由他領回去的呢？

以人性或智慧作出的決擇，常因一念之差，走出不同的境界，甚而造出不同的結局。這或許會追悔莫及，或遺憾終生，然而唯有最終的結果，才能判斷是對或錯了？

寫于菲京二〇〇三年三月三十日

國家圖書館出版品預行編目資料

幽蘭文集 / 洪仁玉著. -- 初版. -- 臺北市：文史哲,民 92

面： 公分. --（文學叢刊 ; 158）

ISBN 957-549-523-3(平裝)

848.6　　　　92013654

文學叢刊 ⑮⑧

幽蘭文集

著者：洪仁玉

出版者：文史哲出版社

http://www.lapen.com.tw

登記證字號：行政院新聞局版臺業字五三三七號

發行人：彭正雄

發行所：文史哲出版社

印刷者：文史哲出版社

臺北市羅斯福路一段七十二巷四號

郵政劃撥帳號：一六一八〇一七五

電話 886-2-23511028・傳真 886-2-23965656

實價新臺幣四〇〇元

中華民國九十三年（2004）四月初版

ISBN 957-549-523-3